FIEF

DAVID LOPEZ

FIEF

roman

ÉDITIONS DU SEUIL
25, bd Romain-Rolland, Paris XIVᵉ

Pour les citations au chapitre « Virgule » :
Louis-Ferdinand Céline, *Voyage au bout de la nuit*
(Denoël et Steele, 1932), © Gallimard, 1952

ISBN 978-2-02-136215-2

© Éditions du Seuil, août 2017

www.seuil.com

Pablo

C'est un nuage qui m'accueille. Quand j'ouvre la porte je vois couler sous le plafonnier cette nappe brune, épaisse, et puis eux, qui baignent dedans. Ixe, ça ne le dérange pas qu'on fume chez lui, du moment qu'on ne fume pas de clopes. Je le regarde, entre lui et moi c'est presque opaque. Il plane dans le brouillard. On est bien reçus chez toi, je dis. Je n'ai pas le temps d'ajouter quoi que ce soit que déjà il me pose sa question rituelle. Tu veux rouler ? Je dis oui.

La disposition de la pièce n'a jamais changé, alors je me mets sur le petit tabouret inconfortable, celui sur lequel je m'assois toujours, près de la table basse. Ixe est à son bureau, à gauche de l'entrée, à côté de son lit toujours bien fait, à croire qu'il n'y dort jamais. Pourtant il ne sort pas beaucoup. Il attend qu'on vienne. Il est à la sortie de la ville, il y a un pré derrière, et la forêt plus loin. C'est calme. Cette maisonnette, il l'appelle sa grotte. Il se serait bien vu homme des cavernes comme il dit souvent.

Il est pas joli ton œil, me dit Poto, installé au fond de la pièce. Il mélange déjà les cartes. D'abord je ne dis

rien, je pense juste au fait que je n'aime pas ce plafonnier, cette lumière sèche, et puis je soupire, et je dis les
gars, vous étiez là, vous avez vu, alors y a rien à dire de
plus. Ça s'est pas joué à grand-chose il fait, et moi je lui
réponds qu'on ne joue pas. Sucré, qui vient s'asseoir à
côté de lui, ajoute qu'il vaut mieux y aller mollo sur le
réconfort.

Chez Ixe il y a toujours de la musique. Ça ne dérange
pas Poto, qui passe son temps à décortiquer les rimes des
chanteurs qu'on écoute. Il demande à Ixe de remettre en
arrière, parce qu'il a cru entendre une rime multisylla-
bique, il dit. Écoutez les gars, la rime en -a-i-eu là, vous
avez grillé ou pas, et moi je réponds non, j'étais pas attentif. Sucré confirme, alors que Ixe, penché sur son bureau,
ne dit rien. Il s'apprête à couper une plaquette. Elle est
posée sur une planche à découper, couteau de boucher
à côté. T'as besoin d'un truc toi Jonas ? il me demande.
Je dis ouais, fais-moi un vingt-cinq comme d'habitude,
et je dois hurler pour qu'il me comprenne. Pour couper
un morceau comme celui-ci, c'est chacun sa technique.
Les plus précautionneux chauffent la lame. Mon autre
pote qui vend du shit, Untel il s'appelle, il met carrément la plaquette au micro-ondes. Ixe, lui, il utilise un
sèche-cheveux.

Des feuilles du shit une clope. Ixe pose ça sur la table,
devant moi, parce qu'il trouve que je mets du temps
à m'activer. Ça, c'est d'la frappe il dit, y a pas besoin
d'en mettre beaucoup. Il dit toujours ça, parce qu'il me
connaît. Il ne veut pas que je m'éteigne trop vite. Je le
regarde du coin de mon œil blessé, il a les yeux rouges,
il n'est pas tout neuf. Je lui fais la remarque et ça le fait

rire en même temps qu'il se frotte les orbites. Je comprends mieux pourquoi il me dit de ne pas trop charger.

Bon on joue ou quoi? Il est chaud Poto. Attends je roule, et puis laisse-moi fumer un peu avant, que je me mette en condition. Hé Ixe vas-y baisse la musique j'ai mal à la tête. Poto annonce qu'il va me mettre une branlée aux cartes et sur le coup ça me fait bizarre d'entendre sa voix aussi distinctement. Je rigole en tapotant ma cigarette contre l'ongle de mon pouce. Je fais ça pour bien tasser mon marocco, ce morceau de clope qui va servir de filtre. C'est plus confortable, plus doux à fumer qu'avec un toncar, qui filtre que dalle d'ailleurs, vu que ce n'est qu'un bout de carton roulé sur lui-même. Quand j'étais petit, je disais que les fumeurs de marocco c'était des fragiles. Ce n'était pas concevable, pour moi, qu'on veuille adoucir la chose. Aujourd'hui ça n'est plus si festif. Passer du toncar au marocco, c'est un peu gagner en maturité.

C'est quoi le pilon, je demande à Ixe. Il me dit c'est du comme t'aimes, du noir qui colle. Je dis ah ouais, et puis j'y mets un petit coup de flamme, furtif, avant de le porter à mon nez. Il fleure bon celui-ci. D'ordinaire le shit on l'effrite, on le chauffe et on en fait des miettes. Celui-ci ce n'est pas possible, il est trop collant. Du coup j'en fais une boulette que je pique au bout d'un critérium qui traîne là et j'y mets le feu. Quand c'est du bon ça fait des bulles. Ça dure trois secondes. Mêlé au tabac, le shit se met à fondre, il imprègne chaque brin, ils ne se mélangent plus, ils fusionnent. Comme si à force de battre un jeu de cartes on finissait par n'en avoir plus qu'une. C'est doux sur les doigts. Ça sent bon. Poto dit que ce n'est pas bien de cramer le pilon comme ça, parce que la combustion c'est ce qui libère le principe actif. Il ajoute que ça vaut aussi pour Ixe avec son sèche-cheveux à la con. Je lui dis t'inquiète il va te mettre une tarte celui-là, et là il me répond que c'est lui qui va me mettre une tarte si je ne me dépêche pas. Poto il est toujours impatient. Agité. Ce soir il n'insulte pas trop, ça va.

Je mélange longtemps. Ça me prend toujours un temps fou de rouler. Un joint roulé à l'arrache je trouve ça vulgaire. Comme du bon vin dans un gobelet. On me fait souvent la remarque, et je réponds toujours la même chose, vous êtes des sagouins, vous ne respectez rien. Poto bat tellement les cartes depuis cinq minutes qu'il y a des chances qu'il les ait remises dans l'ordre. Il annonce qu'il va sortir un 8, et retourne la première carte du paquet. C'est un roi de carreau. Ixe annonce une dame, et c'est un 2. Sucré ne joue pas. Je dis roi, et je touche celui de pique. C'est un signe, je dis, que je vais vous en mettre plein la gueule.

J'ai léché, j'ai roulé. Je tasse le joint en le tapotant sur l'ongle de mon pouce. Poto me regarde attentivement, ça le fait toujours rire de voir le soin que j'apporte à la chose. En tenant le spliff dans ma main gauche je prends mon feu que j'allume avec la tête en bas, et la flamme revient sur la partie métallique qui entoure la tête du briquet. Ça chauffe le métal. J'y pose mon joint debout, ça chauffe le marocco. Le tabac qu'il contient se ramollit et en refroidissant se constitue en une sorte d'amalgame homogène, ça empêche la fuite de brins qui se déposent sur les lèvres ou sur la langue. Je porte alors le joint à ma bouche, l'allume, tire la première taffe, puis

me redresse sur mon tabouret. J'ai roulé un fumigène.
Grosse fumée blanche, *Habemus papam*. Sucré m'interroge du menton. J'suis bon les gars.

Je n'ai pas écouté Ixe, j'en ai mis beaucoup. La
deuxième taffe, je la contiens dans mes poumons et je
coupe ma respiration. Diaphragme tendu, si je relâche
trop vite c'est la quinte de toux. Je la connais celle-là. Grimace. Oh cette gueule que tu tires me dit Ixe, ferme-la
je réponds, avec la voix tamisée parce que ça commence
à faire un moment que je n'ai pas expiré. La toux c'est
quand même bénéfique à l'effet du cannabis, ça ouvre
des veines capillaires dans la gorge, et ça fonce direct au
cerveau. C'est comme entrer par la porte de derrière en
marchant sur un tapis rouge.

Je propose qu'on commence à jouer parce que y en a
marre. Sucré dit vas-y j'avoue, et Poto dit wesh comment
ça, c'est toi qu'on attend depuis tout à l'heure, mais Ixe
nous dit que Miskine va arriver, alors on va l'attendre.
Ah bon Il vient lui ? Hoy mais vous êtes relous là dit Poto
après avoir posé les cartes. Un 4 ! Non, c'était un 8. À moi,
un 7 ! Un 7. T'as d'la chatte il dit.

Je me passe la main sur le visage. Il y a des bosses.
C'est vallonné. Je ne vois pas grand-chose de l'œil gauche,
ma paupière gonflée le recouvre. Je n'ai pas su gérer sa
droite. Et ma main gauche toujours baissée, à l'épaule.
Pas étonnant. Dans la voiture on ne s'est presque rien
dit avec Sucré, mais je me rappelle qu'il a suggéré que je
mette de la glace. Sur le moment je n'ai pas acquiescé.
Ça m'empêcherait de jouer aux cartes. Alors que là, tout
de suite, ce que je veux c'est qu'on distribue, qu'on joue,
qu'on la ferme, et qu'on fume.

11

Vas-y on se fait une partie de chauffe. Poto il est motivé, il prend carrément le paquet des mains de Ixe, et il commence à mélanger comme ils font les croupiers, sauf qu'il galère un peu, et nous on se fout de sa gueule, du coup il distribue. Je tire une grosse latte pour fêter ça. Sucré est en train de rouler, il dit qu'il jouera la prochaine. Quatre cartes fermées devant nous, deux en haut, deux en bas. Poto pose la pioche au milieu de la table, et je la repousse un peu sur le côté pour qu'on ait la place de jouer. Ixe dit que je l'ai trop chargé le spliff, il casse la tête.

On regarde nos cartes du bas, pas celles du dessus. 2-7. C'est pas mal ça. 2-7, faut que je le retienne, 2-7. Ixe a distribué et il est à ma droite, donc je commence. Je tire un 7 dans la pioche. Si je veux l'ajouter à mon jeu, je dois l'échanger contre l'une des miennes. Je la place au-dessus de l'autre 7, et celle que j'avais là je la retourne et la pose au milieu de la table. Et merde, un as. Ça fait les affaires de Poto qui s'en saisit rapidement et la pose dans son jeu, en haut à gauche. À ne pas perdre de vue si j'ai l'occasion de faire un échange. Bon, pour l'instant 2-7-7, 2-7-7. Vas-y repasse le oinj, faut que je me rappelle de mes cartes là. Ixe pioche de la main droite en me passant le joint de la main gauche. Il a l'air content de son jeu, mais bon souvent il bluffe, faut se méfier. C'est à moi. Une dame. Ça vaut dix points une dame, c'est de la merde, alors je la jette au milieu et je soupire. 2-7-7. Poto garnit son jeu à chaque tour, il connaît ses quatre cartes maintenant. Il a toujours son as en haut à gauche. 2-7-7. C'est mon tour, j'aimerais bien piocher quelque chose. Un 7. C'est bon ça. Je le mets dans mon jeu, en haut à gauche, et la carte que j'avais là c'est un 2. Poto est content, il dit que je le mets bien, qu'il a bien fait de se mettre après moi, et quand je lui dis de la fermer il me traite de sale enculé. Il a jeté un 10 quand il a pris le 2, et Ixe prend ce 10, ça veut dire qu'il prépare un truc, on prend pas un 10 si on n'en a pas au moins un dans son jeu. Si je tire une bonne carte, je peux les mettre dans la merde. C'est mon tour. Je tire un as. Je peine à contenir mon excitation et dans le même temps je jette mes trois 7 et pose l'as à côté de mon 2. Tous deux me regardent, ils espèrent que je ne vais pas le dire. Pablo.

Putain! crie Poto, et il ajoute que sa mère la pute le jeu vas-y avec deux tours de plus j'te faisais un coup de malade. Je me marre en regardant leurs mines défaites. J'ai dit Pablo, ça veut dire que je pense être celui qui a le moins de points dans son jeu. Ils ont un tour en plus, moi je ne joue plus. Poto tire un 9, il est dégoûté. J'ai as-2, soit trois points. Quand Ixe approche sa main de la pioche, je tremble d'excitation. Il me regarde et il dit Jonas, si je pioche une bonne carte, t'es mort. Il pioche.

Oh! il fait, et tout en riant il prend ses quatre cartes et les remplace par celle qu'il vient de piocher. Il avait quatre 10, l'enfoiré. Je retourne mes cartes, as-2, j'ai trois points. Poto retourne ensuite les siennes, as-2-3-3, neuf points. C'est bon. Bon alors Ixe c'est quoi la carte que t'as piochée? Il la retourne. Roi de pique. Le mec a fait zéro. C'est rarissime, il fallait que ça me tombe dessus. Poto est debout, il pointe la pioche d'un doigt qui tremble, il hurle que si c'était lui qui avait tiré le roi de pique il l'aurait échangé avec son double de 3 et qu'ainsi il aurait eu trois points seulement. Ixe lui répond cherche pas je t'avais dit que le talent était de mon côté. La chatte oui, que je lui dis. En ratant mon Pablo j'écope de cinquante points. Ixe se lève et se dirige vers son bureau pour y chercher un papier et un crayon et qu'on y note le score. Je proteste parce qu'on avait dit que c'était la partie de chauffe, et là on m'engueule et on me dit comme quoi je suis une pédale. Sucré me fait bah putain c'est pas ton jour. Poto l'a mauvaise. Distribue! il me dit comme s'il m'embrouillait dans la rue. Roule, je lui réponds, en posant mon vingt-cinq, encore chaud d'avoir été sous le sèche-cheveux, sur la table.

Ixe m'annonce le score pour me foutre la rage : zéro-neuf-cinquante. On la fait en douze, je dis. En sept, il répond. Les autres le rejoignent. J'ai beau évoquer les parties en trente-cinq qu'on fait parfois, rien n'y fait. Ils n'ont pas envie d'aller jusqu'au bas de la page. Il y a même Sucré qui ne veut pas rentrer trop tard. Bon, j'ai six parties pour gagner le jeu, faites pas les frigides et dites Pablo un peu, que je vous nique vos races. Je prends les cartes, et je les mélange consciencieusement sans essayer d'imiter les croupiers.

Miskine vient d'arriver. Tchek de l'épaule, accolade sur l'omoplate. Bien ou quoi, alors ça dit quoi ? Rien t'as vu ça galère. Il me contourne et salue Poto et Sucré. Tchek de l'épaule, accolade sur l'omoplate. Bien ou quoi ? Je me rassois.

Des feuilles du shit une clope, c'est ce qu'il pose sur la table basse. On dirait un ours un peu, Miskine. Sa non-chalance lui donne une allure pataude. Il pue l'indolence, même s'asseoir on dirait qu'il fait un effort et que ça le fait chier. Ixe, le teuchi que tu m'as fait la dernière fois il tabasse de ouf, j'te jure, gros, celui-là j'le fume à midi ma journée elle est finie, j'm'endors à 14 heures j'me réveille à 20 heures, ah ouais, j'te jure. Il parle fort. Il parle fort et puis il s'arrête. Il se tourne vers moi avec un air dépité. Il me dit Jonas, t'as perdu ?, et je réponds wesh, tu m'avais déjà vu avec une gueule pareille, en montrant mon œil gauche. Il dit non, je dis bah voilà. Tu devrais mettre de la glace, dit Sucré, et Ixe dit que Sucré a raison, et Poto dit ouais c'est clair, et je leur dis venez on joue aux cartes.

Apparemment, Miskine s'est lancé dans un bizness avec Untel et ça n'a pas tourné comme ils l'auraient voulu, alors il a besoin que Ixe ramasse certaines de ses casseroles. Ixe il n'est pas enchanté. Quand ils parlent de leurs trucs moi je n'écoute pas trop. Non seulement ça ne m'intéresse pas, mais en plus c'est mieux de ne pas savoir grand-chose quand on traîne avec ces gars-là. Encore que ce ne sont pas des gros poissons non plus. Ixe, il fait ça pour la famille, l'entourage. Il saisit des opportunités. Discret le mec. Miskine lui il aimerait bien peser dans le milieu. Mais c'est un flambeur, une petite frappe. Le grossiste, c'est Untel. Nous on gravite autour. Des satellites.

Je reprends le bout de teuchi. Mon joint je l'ai calciné, je ne m'en suis même pas rendu compte. Je demande à Ixe si c'est lui qui a mon briquet, mais il ne m'entend même pas parce qu'il est trop occupé à écouter Miskine qui lui prend la tête avec ses histoires. Poto a fini de rouler son joint et il est sur le point de l'éclater. Et sinon quoi de neuf je demande à Poto. Il dit rien de fou, il ne trouve pas de taf, il ne cherche pas tellement d'ailleurs. Il a encore droit à quatre mois d'indemnités après avoir travaillé dans l'usine de pneus, donc il n'est pas pressé, il profite un peu. Et sinon, ça baise un peu en ce moment je demande, et ça fait marrer Sucré, parce qu'elle n'est pas de moi celle-là, mais d'un pote à nous qui adore la poser. Poto se passe la main sur son crâne rasé. Là y a rien, j'suis en chien il dit, et je ne m'attendais pas tellement à une autre réponse. C'est quoi ton style de meuf à toi je lui demande. Tout ce qui est à un guichet il répond. Pourquoi ? Parce que au moins là elle est coincée la meuf. Je ris en tapotant la clope sur mon ongle. Et la p'tite que tu fréquentais là, elle est passée où, on te voyait plus pendant un moment. Elle m'a lâché il dit, elle voulait pas être un plan cul, mais tu verras Jonas, elle va s'en mordre les doigts, tellement d'ailleurs qu'elle pourra même plus se les caler dans la chatte. Je ris. Il me demande et toi, t'as quelqu'un en ce moment, et je soupire, je dis laisse tomber, c'est mieux si j'en parle pas.

Poto me tend son joint pour que je le passe à Ixe, et je tire une latte dessus, la douane ça s'appelle. Miskine me tend le cul de joint qu'il avait déjà en arrivant pour pouvoir en rouler un nouveau, mais je lui dis vas-y fume toi, moi je roule.

Ixe s'empare du paquet de cartes et les mélange sommairement, puis distribue. Je n'ai pas fini de rouler mais je me dépêche. Bon, on en était où, demande Ixe. Zéro-neuf-cinquante. Vas-y moi je joue, dit Sucré en se redressant, et je dis bah vas-y on revient à zéro du coup, et Poto dit vas-y t'as de la chance. Miskine demande à quoi on joue, au Pablo lui répond Ixe. Il me regarde d'un air interrogateur, et très vite, parce que ça m'emmerde, je lui explique que c'est un jeu où il faut faire le minimum de points sachant qu'on ne connaît que deux de ses quatre cartes au début, et qu'on peut alimenter son jeu en piochant et sachant aussi que piocher un 7 permet de voir une carte dans son propre jeu, qu'un 8 permet de faire un échange mais sans regarder les cartes et qu'un 9 te donne le droit de regarder une carte dans le jeu d'un autre et qu'on peut constituer des doubles des triples voire des quadruples mais c'est rare, sauf quand t'as d'la chatte comme Ixe, et les échanger contre une carte qu'on pioche et à terme si tu penses être celui qui a le moins de points dans son jeu tu dis Pablo et les autres jouent un tour et là on retourne les cartes et si tu réussis ton Pablo tu marques zéro point sinon tu en prends cinquante, comme moi juste avant. Ah, et le roi de pique vaut zéro, chaque carte vaut sa valeur jusqu'à 10 puis les têtes valent dix aussi. Regarde-nous jouer tu vas comprendre. Il me répond qu'il va surtout enfin rouler son oinj vu qu'on fait que d'parler depuis tout à l'heure.

Ixe se lève pour ouvrir la fenêtre tandis que je lèche le collant. On aperçoit la fumée attirée par le courant d'air, elle change de direction, lentement aspirée. Elle a trouvé une issue. La fumée peut bien sortir, on en créera une nouvelle, en tout point semblable. En serait-il de même pour moi si je me jetais dans le vide d'ici ? Rien de neuf à part les cartes qu'on vient de me donner. Ixe, en reposant les siennes, me guette du coin de l'œil et sourit comme un vicelard. Je sens qu'il va encore nous la faire à l'envers. J'allume mon joint. Je regarde mes cartes, dame-roi. Et ce n'est pas le roi de pique.

Soixante-sept cinq

En premier c'est l'odeur aigre, piquante, qui me rappelle où je mets les pieds. Ce mélange de sueur et de sang, auquel j'ai largement contribué, et qui imbibe ces murs imprégnés de la joie de souffrir. J'entre et déjà je ne sens plus l'odeur. Je vois le ring, les sacs et les miroirs. Le petit Victor est déjà en train de sauter à la corde. Sucré vient d'arriver lui aussi, il discute avec Farid qui bande ses mains, à côté du ring. Farid, il n'enroule pas ses bandes avant de les mettre. Je trouve que ce n'est pas pratique.

Je vais pour les saluer quand arrive du vestiaire monsieur Pierrot qui me dit c'est à c't'heure-ci que t'arrives, faut qu'on cause. Je dis bonjour monsieur Pierrot, et lui il inspecte mon visage, il demande ça va ton œil?, je dis oui, et à sa manière de me scruter j'ai l'impression qu'il n'y a pas que l'hématome qui le préoccupe. J'ajoute que je suis prêt à reprendre et il dit que ça c'est à lui d'en décider. J'ai beau dire que ça fait deux semaines déjà, il n'est pas convaincu. Il est tout petit le vieux, il doit lever le menton pour me regarder dans les yeux. En plus il se tient très près. Avec sa tête ronde et son visage buriné, son nez tout plat et ses yeux exorbités, on ne sait jamais trop ce que c'est que cet air qu'il a sur la gueule. Pour autant ça ne tend jamais vers la sérénité. Il paraît même affolé quand il me demande ce qu'on fait maintenant. Comment ça, ce qu'on fait maintenant. C'est pas à vous d'en décider ? Il parle moins fort tout à coup, il approche son visage si c'était possible, et il me dit Jonas, moi j'avais des projets pour toi, mais tu me facilites pas la vie. Je ne dis rien. Le vieux, il en a formé des boxeurs, depuis quarante ans. Ça fait un bail déjà qu'il n'a pas eu de professionnel. Depuis Paulo, qui vient mettre les gants de temps en temps. C'était il y a dix ans. Il a vieilli le vieux. Il continue parce que s'il arrête il en meurt. On se regarde. Il prend un air grave, ça me met mal à l'aise, et il me demande qu'est-ce que tu veux, toi, en claquant son poing fermé sur ma poitrine. Je sais qu'il voudrait m'entendre dire que je veux me reprendre en main, retrouver le niveau que j'avais quand j'ai eu l'opportunité de passer pro, l'année dernière. Juste avant que je commence à m'éloigner de la salle. Il veut m'entendre dire que je reviens pour de bon, que j'arrête de jouer les gagne-petit. Il répète sa question, plus ferme encore. Qu'est-ce que tu veux. La corde, je finis par dire. Je veux sauter à la corde.

Dans le vestiaire je salue les gars en train de se préparer. Cyril et Virgil. La pièce n'est pas très grande. Deux banquettes de faux cuir, à gauche et à droite, avec des portemanteaux au-dessus. Un seul chiotte. Deux pauvres douches qui nous obligent à attendre notre tour parfois. Au fond, le sauna, ce cube de bois où la promiscuité est la règle, et puis en face de lui le vestiaire des filles, renfoncement exigu dans lequel à trois on commence déjà à se marcher dessus. Pour leur intimité on a installé une tringle sans trouver mieux qu'un rideau de douche.

Je m'installe à ma place, celle qui reste libre jusqu'à ce qu'on ait la certitude que je ne vais pas venir. J'étais assis là le jour où monsieur Pierrot m'a bandé les mains pour la première fois. Ce jour-là j'ai compris qu'il n'était pas du tout en colère, mais qu'en réalité il ne savait pas expliquer quelque chose sans avoir l'air énervé. Ça l'avait fait sourire quand je lui avais fait la remarque.

On utilise un ancien modèle de balance à crans, avec une barre horizontale le long de laquelle on déplace des poids. Ça fait des tic tic tic quand on les bouge. Monsieur Pierrot voudrait me voir en poids moyens, il me trouve trop maigre, il aimerait que je m'étoffe physiquement. En déplaçant les crans sur la barre horizontale je soupire, et Farid qui passe par là dit que c'est normal que Jonas puisse pas prendre de poids avec tous les bédos qu'il fume. Je m'assure que monsieur Pierrot ne l'entend pas dire ça. Il aime bien chambrer Farid, il a une grande gueule. S'il n'était pas drôle j'aurais envie de lui en mettre une. C'est lui qui m'a donné mon surnom, Deux Rounds et demi. Parce que je n'ai jamais le coffre pour être bon dans le dernier round. Toujours à l'arrache les fins de combat. Quand j'ai assez bien géré pour avoir de l'avance ça va, mais quand c'est plus serré, c'est une autre histoire. En descendant de la balance je dis soixante-sept cinq, et Farid l'écrit sur le cahier. Faut que tu prennes cinq kilos dit le vieux, qui m'a entendu. Moi je dis que je suis bien à ce poids-là, c'est moins d'efforts, et lui il dit non, tu manques de frappe, et je hausse les épaules. De toute façon je ne cherche jamais vraiment à frapper fort moi. Je ne suis pas un cogneur. Je fais plutôt dans l'escrime. L'évitement. La fuite. Alors ce n'est pas plus mal si je suis léger. Mais lui il ne veut pas en entendre parler. L'idée c'est de devenir plus fort. Il faut aimer ça, souffrir.

Je sors mes bandes du sac, complètement défaites, telles que je les ai retirées à la fin de mon combat. Elles puent la boxe. J'en prends une et en pose l'extrémité sur ma cuisse, afin de l'aplanir et défaire les plis. Je la roule d'abord, pour ne pas la voir pendre au sol pendant que je la mets, c'est gênant et ça fait des plis. Je commence à l'enrouler en prenant soin de bien la serrer. Je roule de la main droite et je maintiens la bande de la main gauche. Pour éviter les plis. Et je roule. La bande fait quatre mètres.

Sucré, qui vient d'entrer dans le vestiaire, est presque prêt déjà. Il a la même gueule que d'habitude, sourcils froncés. Chez lui ça ne veut pas forcément dire qu'il a un souci. Sucré, il a constamment la gueule d'un mec ébloui par le soleil. C'est avec lui que j'ai franchi le seuil de cette salle pour la première fois. On a grandi ensemble. Il me tranquillise parce qu'il est simple. Il ne trouve pas ça honteux de se contenter de peu. C'est un bon boxeur, il est vif malgré son surpoids. Il a arrêté il y a deux ans, depuis qu'il travaille. Il vient de temps en temps pour s'entretenir, encore qu'il s'est engraissé, il trimballe une sacrée bedaine. Ça ne l'empêche pas de venir s'en prendre plein la gueule et faire admirer son uppercut en sortie de garde, ainsi que l'élasticité de son buste. Il adore boxer, plus que moi. Prendre des coups ça ne le dérange pas. À chaque entraînement il monte dans le ring, alors que moi il m'arrive de prétexter une blessure, une fatigue, une dent qui bouge. Il a son short noir et vert qu'il porte à tous les entraînements, et un K-Way en haut. Je t'ai déjà dit que ça sert à rien de porter un K-Way pour s'entraîner Sucré. Ça me fait transpirer il dit. Ouais mais tu perds que de l'eau, du coup tu te déshydrates et t'es moins performant tu vois. Bah on verra ça dans le ring, si j'suis moins performant. Ok je dis, si j'te nique ta race tu mets plus jamais de K-Way pour t'entraîner. Il soupire dans un sourire, mets tes bandes Jonas, et ferme ta gueule. On rigole. Je dis j'arrive.

Je saisis une bande, en place l'extrémité contre la paume de ma main, et la maintiens à l'aide de mon pouce. Je fais le tour, deux fois, puis descends sur le poignet, que j'entoure deux fois également. Je remonte vers l'intérieur de la main et entoure le pouce en le ramenant vers l'extérieur. Dans la salle j'entends que le vieux s'impatiente mais je n'y peux rien. De la base du poignet je fais passer la bande entre mon auriculaire et mon annulaire, enchaîne avec un tour sur la main, puis retourne à la base du poignet pour remonter entre l'annulaire et le majeur, et ainsi de suite je fais des X, afin de bien protéger mes métacarpes, mon scaphoïde, et encore, moi je dis ça mais je n'y connais rien, je ne fais que répéter ce que dit le vieux. Après être passé entre le majeur et l'index je ne fais plus que des tours sur ma main, et là je sens que mon poing est uni, compact, dur, et que ce n'est plus l'agrégation de doigts rattachés à une main, avec une paume au bas de laquelle on trouve un poignet, mais un seul et unique ensemble, juste un poing qui fait oublier la main humaine. Rien ne me fait me sentir plus boxeur que d'avoir les mains bandées.

Le vieux n'en peut plus, il entre dans le vestiaire en gueulant, et je n'ai plus qu'à lacer mes chaussures. C'est toujours moi qu'on attend. Il décrète que je vais mener l'échauffement collectif et la culture physique. C'est ce que je fais d'ordinaire, mais aujourd'hui, pour la reprise, je n'avais pas vu ça comme ça. Sans rien dire je sors du vestiaire et entre dans la salle. C'est un rectangle. Tout au fond il y a le ring. Il paraît lointain. Le sol c'est du béton. On aimerait bien avoir un parquet antidérapant, mais quand on le dit c'est surtout pour la blague. Sur le béton, on glisse sur nos flaques de sueur. Le centre de la salle est dégagé, ça fait comme une clairière au milieu des sacs de frappe disposés tout autour. Il y en a six. Je passe à côté de mon préféré, le noir avec les rayures horizontales grises, et lui assène un petit direct du droit, rapide, fouetté. Laisse le sac, dit monsieur Pierrot. J'ai déjà entendu cette phrase des milliers de fois. J'en remets quand même un petit coup, parce que ça me démange. Je prends une claque derrière la tête pour ma désobéissance et rappelle à monsieur Pierrot qu'en boxe on n'a pas le droit de frapper là. Ça le fait marrer. C'est fou l'amour qu'il arrive à donner en traitant les gens comme de la merde. Il m'en lance une deuxième et celle-ci je l'esquive, et on se quitte sur un sourire quand je me mets à trottiner pour initier l'échauffement. Tout le monde me suit.

On commence par les bras, on envoie des directs en trottinant, on fait tourner les épaules. Il y a des miroirs partout, je m'en sers pour regarder derrière moi et vérifier que chacun suit mes directives. Il est narcissique le boxeur. Il passe des heures à boxer devant la glace, à se scruter à la recherche de la bonne gestuelle, celle qui ne laisse aucune ouverture, qui permet d'aller toucher sa cible. Et à mesure qu'il la trouve cette gestuelle il y prend goût, les courbes que dessine un crochet gauche, suivi d'un uppercut, il admire l'expression que ça donne au corps, cette puissance que ça dégage, la beauté de cette violence déployée, fluide, le mouvement rendu parfait, perpétuellement répété. Et il se regarde, il se voit atteindre cette osmose entre la tranquillité de l'esprit et la violence du corps. C'est ainsi qu'il arrive à dissocier la haine de la volonté de faire mal. Ainsi qu'il accepte la douleur. Ainsi la défaite.

On alterne l'épaule gauche et l'épaule droite, puis on fait les deux ensemble. Monsieur Pierrot est au milieu de la salle, il nous regarde, les bras croisés. Par-ci par-là il reproduit nos gestes, pour nous montrer comment bien les faire, et puis ça lui rappelle qu'il a subi plus d'opérations qu'il n'a eu de boxeurs professionnels à sa charge, alors il arrête. Monsieur Pierrot il a pris dix ans depuis l'année passée. C'est peut-être sa dernière saison, encore qu'on se dit ça tous les ans. On ne sait pas ce que deviendra la salle quand il sera forcé de se retirer. On a même du mal à croire qu'il pourrait s'arrêter un jour.

On fait des pas glissés, c'est presque comme des pas chassés, à ceci près qu'on doit maintenir le même écartement de jambes. C'est le pas du boxeur. Il faut être bien équilibré. C'est important l'équilibre pour un boxeur. Sinon, il tombe.

Talons-fesses, montées de genoux. On trottine encore quelques tours et puis à mon signal on fait une flexion et on saute comme si on voulait toucher le plafond. On fait ça une dizaine de fois. D'habitude, monsieur Pierrot aime bien dire des trucs comme cinquante euros à celui qui touche le plafond, parce que c'est assez haut quand même, mais depuis que Virgil l'a touché deux fois il s'abstient. Moi, ça me contrariait déjà de ne pas toucher le plafond, mais c'est encore pire depuis que Virgil y est arrivé. Je crois bien qu'il ne les a jamais vues, ses cinquante balles.

Je m'arrête de courir devant le miroir qui est contre le mur du vestiaire, et je sautille sur place. Je me tourne vers eux et ils m'imitent. On reste comme ça une bonne minute, on relâche les bras, on détend les épaules. Et puis on commence le shadow. Ça revient à boxer dans le vent contre un adversaire imaginaire. Souvent je l'imagine pas bien grand, parce que j'ai l'habitude d'être opposé à des types plus petits que moi, rapport à ma morphologie dans ma catégorie. Il cherche à rentrer dans ma garde, alors je le tiens à distance. À la moindre de ses velléités, je déclenche. Si on utilise bien son allonge on en fait ce qu'on veut du mec. Moi j'adore frustrer un type jusqu'à ce qu'il se jette comme un désespéré. C'est là qu'on commence à rentrer des uppercuts. Pour l'instant je lui donne mon jab, ce direct du bras avant donné en piston. C'est le coup maître, celui qui justifie à lui seul que la boxe ne soit pas un sport de brutes. Il sert à tout, à défendre, à préparer une attaque, à se protéger, se déplacer, feinter, ouvrir la garde, enchaîner, briser le rythme de son adversaire. À avoir l'air de boxer quand on n'en a pas envie. On peut gagner un combat rien qu'avec son jab. Je suis un boxeur fuyant, je mise tout sur la distance et le contre, alors à moi il me sert principalement à repousser l'adversaire, à l'empêcher de s'organiser. En shadow, comme il n'y a personne en face j'ai tendance à me faire plaisir. Je frappe je bouge, je double j'esquive, retrait je contre. Je lui fais un festival au mec. Je récite des gammes. Tout rentre. Jonas ! Gauche gauche droite et tu t'occupes pas du restant ! Monsieur Pierrot sait que je fais du shadow en imaginant que je mets K-O des types, et que je les prends les uns après les autres, parfois en même temps, et que je leur arrache la tête. Ça se voit tout de suite. Ce n'est pas sérieux. Crochet gauche au foie, je remonte en uppercut au menton avec le même bras, je rentre une droite à la mâchoire et termine sur un crochet gauche à la tempe. Le mec il va s'en rappeler toute sa vie. C'est tout juste si je ne suis pas sur le point de lever les bras pour célébrer ma victoire.

Gauche gauche droite. Quand on donne un direct, le poing et les deux épaules doivent être alignés. Ça engage une rotation du buste que les jambes accompagnent en pivotant sur les appuis, via une rotation de la hanche. C'est tout le corps qui donne un coup. Pour enchaîner avec un direct de l'autre bras, il faut effectuer la rotation inverse, et ça tire sur les obliques quand on le fait vraiment bien. Le direct doit être donné en piston et revenir là d'où il est parti, devant le visage. S'il revient à l'épaule, on laisse une ouverture pour se faire contrer. Moi c'est mon défaut, d'avoir la main gauche trop basse. Même si ça rend mon jab difficile à lire, ça reste une ouverture pour la droite. Pour se permettre de boxer les mains basses, il faut avoir un sacré coup d'œil. J'essaie de miser là-dessus, parce que lever les mains c'est fatigant au bout d'un moment. Mais puisque monsieur Pierrot me regarde, je m'applique. Mon adversaire imaginaire est un peu meilleur maintenant. Il envoie des coups. Pas assez pour me dominer ceci dit. C'est ça qui est bien avec le shadow. L'adversité y est celle qu'on s'impose.

J'arrête de boxer mais je continue de sautiller sur place. Les autres me suivent et relâchent leur garde eux aussi. Je commence la culture physique. C'est une batterie de mouvements effectués sur place et basés sur l'extension. Ça fait travailler le maximum de groupes musculaires. Avec ce programme, on peut s'entraîner dans un cerceau. Je reprends scrupuleusement l'enseignement de monsieur Pierrot, qui pouvait encore faire ces gestes lorsque je l'ai rencontré, et déjà à l'époque on était impressionnés de voir un homme de son âge faire ça, même si on rigolait bien quand, sur des mouvements de balancier, on voyait ce qui lui restait de cheveux, déposé en mèche sur le haut du front, sautiller d'une tempe à l'autre en lui baffant le visage.

J'expire bruyamment pour inciter mes partenaires à faire de même, et les premières gouttes de sueur commencent à couler. Chaque série d'exercices est entrecoupée d'une minute de shadow. Monsieur Pierrot passe devant moi et me touche le front. Ah ça commence à transpirer, il dit. Oui monsieur Pierrot. Mon adversaire imaginaire est redevenu prévisible. Garde ouverte, lenteur, crochets larges. Il se fait contrer de tous les côtés. Si j'étais l'arbitre je mettrais fin au combat. Jonas! et il me montre, gauche gauche droite, et il accompagne ses gestes d'onomatopées grinçantes, avec sa voix éraillée, han, han, han, et je l'imite en m'appliquant, et il dit voilà c'est ça Jonas, t'y vas tranquille. Monte tes mains par contre Jonas, monte tes mains! Ba-ba-bam et tu bouges!

Voilà! Sors tes épaules! Tourne sur ton axe! Bouge! Rentre ta tête!

Bras en croix, on fait les essuie-glaces, on touche la nuque on allonge. Même quand je ne suis pas en forme je les nique tous à ça. Quand ça commence à me brûler, c'est qu'ils doivent avoir très mal. Toujours bras en croix, on s'immobilise et on prend la pose. Ça serre les dents. J'annonce, trente secondes, et s'il y en a que ça soulage d'autres n'en voient pas le bout. Quinze secondes plus tard, j'annonce encore trente secondes, et Sucré m'insulte en souriant. J'ajoute le petit roulis des poignets. Farid est concentré, le petit Victor lâche avant la fin, Cyril est tout rouge, et Virgil est tranquille.

Après un pivot arrière sur la jambe avant, mon talon percute celui de Cyril. Il me sourit et profite de cet accrochage pour souffler quelques secondes. Il est déjà bien rouge Cyril, mais je sais qu'il aime ça, se faire du mal. Il te faut la place de la Concorde ou quoi, qu'il me demande, et moi je rigole et réponds que s'il n'était pas si balèze on s'éviterait ce genre de télescopage. Cyril, c'est un maçon. Du coup, il a des mains de maçon. Et ces mains-là je n'aime pas les prendre dans la gueule. C'est un poids super-lourd, il fait plus de cent litrons le bonhomme. C'est le genre de boxeur qui sait très bien faire le peu qu'il sait faire. Il se sert beaucoup de son jab et profite de sa grande taille pour nous maintenir à distance. Moi j'ai capté la cadence de son jab, alors je le chasse et je contre. Il est plus grand et plus fort, mais je suis trop rapide pour lui. Après, ce n'est jamais une partie de plaisir non plus. Sa frappe est sèche, il fait mal. Parfois je le chambre en disant qu'il doit sa puissance au fait d'être un gros lard, et lui il répond qu'en fait j'ai peur de lui, parce que parfois je décline ses invitations à en découdre. Et souvent c'est vrai.

On reprend la culture physique en insistant sur l'élasticité du buste. C'est grâce à ça qu'on fait de bonnes esquives. Jambes écartées, plante des pieds vissée au sol et genoux légèrement fléchis, on dessine un cercle avec la tête en tournant le corps depuis le bassin. On alterne avec la version latérale du geste, en se tenant droit et en allant toucher le genou avec la main. Et puis on met de la cadence. Moi je suis bon à ça, je ne m'arrête que quand je vois que les autres sont à la peine, pourtant j'aimerais voir ce que ça donne de continuer jusqu'à ne plus tenir debout, pétri de douleur. Encore que je ne fasse pas partie des plus assoiffés de souffrance ici. Virgil, par exemple, c'est une bête, un monstre de résilience. Elle est là, ma limite. C'est pour ça que je mets fin à la culture physique juste avant que ça commence à tirer.

Je marche dans la salle et respire profondément. Mon débardeur blanc est devenu gris, assombri par la transpiration, jusqu'au diaphragme. J'ai toujours pour objectif qu'il ne me reste plus le moindre centimètre carré de tissu sec. Parfois on s'amuse à essorer nos maillots, voir qui en a le plus. Farid passe devant moi et s'approche de mon oreille. Hey Jonas j'ai du bon pilon en ce moment. Je dis wesh me parle pas de ça maintenant gros, et il fait scuse. Trois secondes passent et je lui demande c'est quoi le pilon, il fait vas-y j'te passe une croquette tout à l'heure, pour que tu le goûtes. Je dis vas-y.

Farid a quarante-quatre ans, en paraît trente-trois, se comporte comme s'il en avait dix-sept. Il a toujours des plans. J'ai entendu dire que c'était un sacré voyou en son temps. Je ne connais pas sa vie, ce que je sais de lui, avant toute chose, c'est que c'est un putain de gaucher. Ils sont relous à boxer les gauchers, ils sont à l'envers. C'est perturbant. Eux, ils sont habitués. Dans une salle de boxe, il y a dix droitiers pour un gaucher. Limite, même eux ça doit les emmerder de tomber contre un gaucher. Farid il n'est pas bien grand, il boxe recroquevillé, les mains hautes contre le visage, il fait des petits pas. Quand il attaque on dirait un bernard-l'ermite qui sort de sa coquille. Moi je le maintiens à distance, il n'arrive pas à s'approcher, ça le rend fou. Mais quand il y arrive il cogne sec. Lui et moi on s'en met des bonnes. Au début ça part toujours doucement, c'est tout juste si on ne fait pas un touche-épaule pour commencer. Il ne vient que de temps en temps, donc je le boxe tranquille. Mais lui il veut que j'y aille franchement. Alors tôt ou tard, il y en a une qui rentre. Souvent je dis scuse, mais je ne devrais pas dire ça. S'excuser d'avoir frappé un boxeur, c'est presque le renier. Mais lui il ne se formalise jamais. Il dit bien joué. Moi il ne faut pas me dire scuse si on m'en met une bonne. Moi je ne dis pas bien joué. Je dis plutôt ouais c'est bon t'inquiète vas-y boxe. Prendre un coup, ça ne fait pas mal. Pas tant que ça. Se cogner le gros orteil contre un pied de table, ça c'est douloureux. Un crochet à la tempe, la tête bouge, on perd ses repères pendant une demi-seconde, et puis on se remet en garde. C'est dans la tête, pas dessus.

Monsieur Pierrot est parti brancher la pendule à rounds. C'est une horloge qui sonne toutes les trois puis une minute. On fait des rounds de trois minutes de travail, une minute de repos. On prend tous une corde à sauter et on se disperse dans la salle. Je me place devant la plus grande glace. Pourtant je ne saute pas mieux quand je me regarde. J'écoute les cordes frapper le sol et délivrer leur claquement, qui témoigne de leur cadence. Dans le miroir, je regarde le petit Victor sauter. On dirait qu'il ne fait qu'effleurer le sol lorsque la pointe de ses pieds retombe au passage de la corde. Il n'y a pas d'à-coups dans les poignets, les épaules soutiennent. Il est facile. Victor c'est notre pépite. Il a quatorze ans, l'âge que j'avais quand j'ai commencé la boxe. Il est doué, mais un peu fragile. Je m'occupe de lui lorsque monsieur Pierrot a trop à faire avec les autres. Quand je lui donne la leçon je ne lui parle que de ses défauts, si bien qu'il a tendance à croire qu'il en est bardé. Je ne le ménage pas. Si c'est pour qu'il se repose sur ses acquis, c'est gâché. Qu'il ne suive pas mon exemple. Parfois c'est juste pour le voir réagir, se rebeller, mais ça n'arrive jamais. Quand j'exprime des doutes à propos de Victor, le vieux me regarde avec le dédain d'un homme qui a passé sa vie à former des boxeurs, et plutôt que de me répondre il m'envoie une gifle au menton. Souvent je l'esquive, mais pas toujours. Et il a encore la pêche, l'ancêtre. Je ne boxe jamais avec Victor, la différence de niveau est évidente. Par contre, monsieur Pierrot me demande parfois de le faire travailler. C'est une tâche qui consiste plus ou moins à le laisser me frapper. L'idée c'est de lui permettre de prendre ses repères dans le ring, de se déplacer correctement et de placer des attaques. Moi je ne lui donne que le jab, et peut-être une droite par round. J'apprécie assez de faire ça, parce que ça me fait travailler les déplacements, les esquives. Ce que j'aime moins, c'est le petit rictus qu'il a lorsqu'il arrive à toucher. Ça m'exaspère qu'il puisse penser qu'il m'a vraiment atteint, alors qu'en vérité je le laisse faire, plus ou moins. Quand ça arrive, je lui en colle une sur le dessus du casque, pas appuyée, mais sèche, autoritaire, histoire qu'il comprenne. Pour qu'il ne commence pas à croire qu'il est fort. On s'entraîne pour être moins faible. La force, il y en aura toujours un autre pour nous montrer ce que c'est vraiment. Souvent ça lui fait perdre ses moyens, et il n'ose plus attaquer ensuite. C'est contre-productif au final, mais moi ça me soulage.

Monsieur Pierrot a enfilé les pattes d'ours, ces gants plats qui servent à faire frapper le boxeur pour qu'il travaille des enchaînements, des combinaisons. Il appelle Victor, qui laisse sa corde à terre et qui enfile ses gants. Tandis que je saute à un rythme régulier, toujours sur les pointes, j'observe la scène. Je me revois à sa place, buvant les paroles d'un monsieur Pierrot autrement plus dynamique, mais tout aussi lapidaire. La droite après ta gauche, tu sors pas l'épaule! Allonge, bon sang! Le petit Victor s'exécute, et avec tant d'application que sa gestuelle en devient stéréotypée, ce que monsieur Pierrot s'empresse de lui faire remarquer. On dirait un robot là Victor! Plus fluide, plus souple, aérien! Han, han, han! Victor a toutes les peines du monde à satisfaire aux exigences du vieux. Il se met la pression le p'tit, ça m'est arrivé à moi aussi. Il prend une gifle, une petite. C'est dommage qu'il ne sache pas y voir un signe d'affection.

Sonnerie. Sucré et Farid c'est le genre de mecs qui discutent entre les rounds. Moi je préfère me concentrer sur mon souffle, déjà court. Au pire je dis oui ou non, mais sans plus. D'ailleurs Virgil me demande si je veux mettre les gants avec lui tout à l'heure, et je dis non, c'est la reprise tu comprends, et même s'il insiste brièvement il s'arrête vite de parler quand je ne le regarde plus et que je reprends ma corde. Ça a sonné.

Virgil a vingt ans, il est super musclé, et c'est un super boxeur. Je crois bien que monsieur Pierrot doit déjà s'être rendu compte que s'il fallait miser sur quelqu'un ce serait lui. En termes d'assiduité il nous met tous à l'amende ici. Faut voir comment il s'entraîne. Et en plus il a une très bonne hygiène de vie, là-dessus c'est clair que je ne la ramène pas. Et dans le ring, je ne fais pas trop le malin non plus. Virgil c'est un cogneur. Il n'a rien d'un esthète. Il aime être collé à son adversaire, venir à l'intérieur de la garde et travailler au corps. C'est le profil de boxeur qui me correspond le mieux au départ, parce que je peux le maintenir à distance avec mon jab. Sauf qu'il a trois poumons le mec, alors même si je peux passer deux rounds à le repousser, dans le troisième je suis souvent débordé, parce qu'il est toujours là à presser, à couper le ring, à se coller, ça en devient oppressant, c'est un travail de sape, et les coups au corps ça coupe les jambes. Quand on boxe ensemble, je mérite mon surnom.

Je refais deux rounds de corde, et puis je passe au sac. Je n'ai plus prononcé la moindre parole depuis la proposition de Virgil. Il y a cette paire de gants, noire, avec marqué Champ dessus. Elle n'est pas à moi, mais il y a longtemps que je me la suis appropriée. Ils sont tout mous, grâce à ça je ressens bien les impacts. Ça me donne l'impression que mes poings s'enfoncent dans leur cible.

La sonnerie indique le début du round. La première chose que je fais c'est de pousser le sac pour qu'il bouge dans tous les sens. C'est comme faire face à un adversaire qui se déplace, on cherche le bon timing pour frapper au moment où le sac vient vers nous. C'est comme arrêter un assaillant quand il prépare son attaque. Jab, jab, jab, je prends ma distance, je tourne autour, les mains hautes parce que monsieur Pierrot me regarde. Jab, jab, esquive et bam, la droite. On entend le claquement des cuirs qui s'entrechoquent. Je bouge la tête, imaginant que le sac m'envoie des directs, et je contre, bam par-dessus son épaule, et bam par-dessous. J'enchaîne quelques séries rapides, quatre coups et hop je bouge. Il faut toujours bouger après avoir frappé, ne pas rester une cible immobile. On a vite fait de s'endormir devant un sac. Comme au shadow, il faut s'efforcer de voir un adversaire en face, sinon on ne fait que frapper comme un bourrin. À mes débuts, monsieur Pierrot m'a interdit de frapper au sac pendant presque deux mois. C'est un attrape-défauts il disait, parce que la tendance qu'on a c'est de simplement le défoncer et puis terminé bonsoir. Et à force de m'imaginer un adversaire, il m'en vient un à l'esprit, tout trouvé. J'ai Kerbachi en face de moi. Kerbachi, celui qui m'a battu il y a une quinzaine. Il n'est pas le premier à me battre, mais il est le premier à m'avoir dominé. J'ai des flashs du combat qui me reviennent. Et je me mets à frapper plus fort. Je veux lui faire payer ce troisième round alors que c'est moi qui ai sombré. Je me souviens de ce gauche droite, que j'ai pris quatre fois de suite, quatre fois sans réagir, comme si j'y avais pris goût. Je revois cet uppercut, que j'ai reçu alors que j'étais dans les cordes, la tête rentrée dans la garde, persuadé que j'étais d'être pareil à une tortue rétractée dans sa carapace, impénétrable. Ma tête s'est soulevée si violemment que l'arbitre a cru bon de me compter debout, un sort réservé aux boxeurs en perdition à qui on offre un bref répit avant de les renvoyer au casse-pipe. Je repense aux dernières secondes du combat, où j'ai tout fait pour éviter d'avoir à échanger des coups, enlaçant mon adversaire, lui tenant le bras, ou encore crachant mon protège-dents, deux fois, ce qui m'a valu un avertissement. Et puis le visage de Kerbachi s'estompe, sa silhouette rétrécit, s'amincit, ses cheveux poussent, son visage s'affine, et son corps entier prend une pose que je crois bien connaître, en appui sur la jambe gauche, la droite repliée avec la pointe du pied au sol, derrière. C'est Wanda qui vient se substituer à Kerbachi. Je la salue d'un direct appuyé, et ça lui fait le nez rouge. Il n'a pas l'air cassé encore, mais ça va venir. Maintenant que je la vois elle il n'y a plus de sac, juste ce visage au sourire suspect, ces traits fins au dessin enjôleur, cette bouche dans laquelle j'aurais aimé mettre mon sexe mais que je m'apprête à écraser. Prends donc ça dans ta gueule Wanda, je ne pense plus qu'à faire rentrer dans la masse qui te sert de tête tout ce qui en dépasse. Tes oreilles je les plie avec mes crochets, je les martèle, je les rentre dans leur trou tellement elles se replient sur elles-mêmes. Ça ne te sert à rien des oreilles, car tu n'entends pas. Moi tu ne m'entends pas. Tu es lisse au fond, alors je vais faire en sorte que tu sois à ton image. Je passe à ton nez, que j'enfonce comme un clou avec mes directs, bam, bam, bam, mais c'est qu'il résiste, comme une punaise qu'on aurait plantée dans une brique plutôt que dans une plaque de plâtre, mais avec un bon marteau on peut y arriver, et ce marteau c'est ma droite, doublée, triplée, qui achève de t'enfoncer cet appendice, que tu avais fort joli d'ailleurs. Je n'y prends pas tellement de plaisir, mais je n'ai pas de scrupules non plus. Quelque part tu te ressembles déjà plus. Même s'il reste encore des dégâts à faire. Cette pommette saillante, rebondie, tu ne me laisses pas t'embrasser là, mais moi j'aime ce petit amas de peau qui se soulève quand tu souris. Je vais aplanir cette partie de ton visage. Une pommette ça explose. Je vais rendre à ta face son véritable aspect. J'ai devant moi une sorte de boule de cire agglomérée, sans rien qui dépasse, juste une chevelure ensanglantée par les projections. Tes oreilles repliées, tes arcades rentrées dans tes paupières, tes pommettes aplanies, ton nez enfoncé, peut-être que c'est comme ça que tu es belle. Là je te regarde avec les bons yeux. J'ai effacé le mirage. Parce que tu es beaucoup trop belle Wanda. Il ne te reste plus que cette bouche, avec toutes ces dents, certaines ont sauté déjà, mais il en reste encore pas mal. Je passe aux uppercuts, pour les faire voler en l'air comme du riz dans un mariage. Elles font tic tic tic quand elles touchent le sol. Les molaires ne sont pas faciles à décrocher. J'ai mal aux mains de frapper si fort, mais il faut bien cela Wanda, sinon je ne peux pas te toucher. Je n'ai que ça.

Sonnerie. Je termine ce round sur une série de coups lourds, donnés avec toute la puissance que j'ai, en garde totalement ouverte, sans plus me soucier de la moindre technique. Je frappe comme un sourd, au sens propre même, je ne fais pas attention à la pendule, et après quelques secondes on n'entend plus que moi en train de défoncer le sac, et ce jusqu'à ce que se fasse sentir dans mon poignet gauche un craquement. Je m'arrête de frapper, ramené à la réalité par la douleur. Qu'est-ce qu'y a! hurle monsieur Pierrot. Je crois que je me suis pété le poignet, je dis. J'enlève le gant et monsieur Pierrot prend ma main. Il a beau être délicat monsieur Pierrot, ça fait mal. Il commence à peine à faire tourner mon poignet que déjà je grimace. J'ai beau y mettre du mien, je n'arrive pas à masquer la douleur. À la douche, il dit. Mais m'sieur Pierrot je, à la douche!, et je retourne au vestiaire, tête basse.

La sonnerie retentit, Sucré est au vestiaire, il boit de l'eau. Nos regards se croisent, il hausse les épaules. Et puis, il fronce les sourcils encore plus que d'habitude, me regarde encore une fois. Je baisse la tête.

Douché et habillé, je reviens dans la salle où les gars sont en train de boxer dans le ring. Bon les gars j'me casse. Salut Jonas et fais attention hein, mets de la glace en rentrant dit Virgil, qui ne peut pas savoir à quel point je déteste qu'on me parle de glace. Monsieur Pierrot est au bord du ring. Il est concentré, il regarde ses boxeurs. Je viens près de lui quand même, sachant qu'il va m'engueuler pour avoir détourné son attention, ce qui est un moindre mal par rapport à ce que je prendrais si je partais sans dire au revoir. Il tourne la tête vers moi et me regarde avec ce que je crois être de la compassion. Prends soin de toi Jonas. Puis il passe sa main dans mes cheveux, au niveau de ma nuque. Il ne l'avait fait que deux fois auparavant : à mon tout premier combat en juniors, quand j'avais été volé par les juges, et la fois où j'avais pris un violent K-O au premier round. Je croise le regard de Sucré qui vient de finir son round avec Farid, tandis que Virgil entre à sa place dans le ring. Bon Sucré, on se capte chez Ixe. Vas-y, il dit. J'y vais.

Sur la chatte à Voltaire

C'est une avenue bordée de bouleaux et de pavillons qui se ressemblent. Il fait nuit déjà, mais le chemin est balisé de lampadaires à la lumière orange. On y voit clair. Ça implique que si une patrouille passe il vaut mieux qu'elle ait des choses à faire, puisqu'en général quand on se fait contrôler comme ça inopinément, c'est parce qu'ils s'ennuient les mecs. J'ai un vingt balles dans le sli-bar, entre le pénis et les couilles. Il est bien calé. Il paraît que maintenant les flics viennent fouiller là. Je n'ai pas très envie de me retrouver le cul à l'air devant un type muni d'une lampe torche. Alors j'accélère un peu le pas, et je retire ma capuche.

Ixe m'a demandé de le rejoindre chez son pote Romain que je ne connais pas et chez qui je ne suis jamais venu. À peine ai-je poussé le portail qu'une branche sortie de nulle part m'agresse, manquant de me crever un œil. Je la repousse d'un geste vif, esquive latérale, et j'entre dans la cour, où je constate le bordel végétal qu'on a laissé s'ins-taller là. Ce qui pourrait être un jardinet est ici un champ de ronces où chaque buisson se dispute le droit de domi-ner les autres. Un merdier pas possible. Une petite allée mène à la maison, et aussi mince qu'on puisse être on ne peut l'emprunter sans que des épines s'accrochent à la veste, et sans avoir à enjamber quelques branches. Il y a une dizaine de mètres à parcourir avant d'arriver devant la porte. Je me verrais bien avec une machette. Sur la gauche, la jungle fait le tour de la maison, et si ça continue comme ça bientôt on ne la verra plus.

La porte est en bois, avec une plaque de verre au centre, brisée, comme si on y avait mis un coup de poing. J'entends qu'on parle fort à l'intérieur. Je cogne à la porte avec la crainte d'achever la plaque de verre. Cette précaution rend mon geste inaudible, et il y en a un qui rigole fort là-dedans, et ce rire-là je ne le connais pas. Je peux aussi frapper sur la partie boisée, mais ce n'est pas plus efficace. Et puis je ne me vois pas frapper comme un sourd non plus, ça ne se fait pas.

Allô Ixe. Ouais c'est Jonas. Comment ça c'que j'fous, j'suis devant la porte là. Mais ouais mais personne répond quand je toque. Bah ouais. Gros si j'cogne plus fort elle va tomber la porte. Bah vas-y viens m'ouvrir. Non toi, je le connais pas ton pote. Vas-y.

C'est quand même son pote qui vient m'ouvrir, il me tend la main dans un grand sourire en disant Romain. Je réponds Jonas. C'est un grand mec tout sec, juvénile, accueillant. Il dit entre entre, fais pas gaffe au bordel. Facile à dire. Le seul moyen de ne pas faire gaffe au bordel ici c'est de faire une partie de colin-maillard. Et encore, c'est un coup à se prendre les pieds dans un truc qui traîne. En passant la porte on s'engage dans un couloir qui fait office d'entrée, et qui débouche sur le salon. Tout de suite à droite, un escalier monte vers

l'étage, très sombre. J'essuie mes pieds avec précaution,
tout en m'étonnant de la présence de ce paillasson, et le
type fait oh t'inquiète, vas-y entre. Pendant que je frotte
mes semelles je regarde devant moi, vers le salon, et
je vois deux types en train de parler avec Poto. Le premier je connais sa gueule, avec son collier de barbe, et
l'autre c'est Habib, un petit que j'ai souvent vu traîner à
droite à gauche. C'est une petite ville. J'avance vers eux
en regardant par terre, de peur de marcher sur quelque
chose. Contre le mur sous l'escalier il y a une pile de vêtements sales, et près de la porte de la cuisine un amoncel-
lement de sacs plastique vides. Contre le mur de droite,
une roue de vélo.

Ouais ouais! s'écrie Poto quand il me voit entrer
dans le salon. On se tcheke de l'épaule. Les deux autres
se lèvent de leurs chaises. Habib a l'air de vouloir me
faire une accolade mais je lui tends la main. Son acolyte
m'imite pour ne pas se manger un vent comme l'autre.
Bien ou quoi les gars, et puis je me rapproche de Poto.
Ils sont installés autour d'une table qui pourrait être
celle de la salle à manger, mais il faut avoir de l'imagination pour voir ça comme ça. À l'autre bout de la pièce
il y a un écran qui fait face à une table basse bordée de
deux canapés, disposés en angle droit. Quelqu'un joue
à la console, un jeu de football. C'est Miskine. Bien ou
quoi Jonas il dit quand j'arrive à sa hauteur, ouais ouais
ça dit quoi je réponds, et je vois qu'il a profité d'un temps
mort dans son match pour me faire une accolade et un
grand sourire, mais que l'équipe adverse ayant effectué
la remise en jeu il n'est plus disposé à prendre de mes
nouvelles.

41

Je reviens m'installer près de Poto tout en lui demandant où est Ixe. Il me répond qu'il jardine. Sur le coup je me demande si c'est une blague, ou une manière de me dire qu'il est avec une meuf à l'étage, alors je ne dis rien et je rigole comme un mec qui n'a pas compris.

La table est jonchée de bouteilles vides et de cendriers pleins. Il y a de la cendre un peu partout, et des brins de tabac tombés de joints en train d'être roulés. Disséminés çà et là, des jeux de grattage perdants, des boîtiers de CD et de jeux vidéo sur lesquels on roule, une matraque télescopique. Une porte-fenêtre donne sur une véranda qui elle-même débouche sur un jardin. D'ici on voit que la nuit est très sombre. De cette noirceur surgit Ixe, visage fermé qui s'illumine en me voyant.

Ah t'es là toi? Scuse j'pouvais pas t'ouvrir j'étais occupé, ça va ou quoi? Je me lève et on se fait la bise. Qu'est-ce tu fous je lui dis. Bah j'm'occupe de mes plantes, viens j'vais t'montrer. On commence à se diriger vers l'extérieur quand il dit attends, et il se dirige vers le mec que je ne connais pas mais qui porte un collier de barbe et vient de s'allumer un joint. Il lui prend des mains, tire une grosse latte, et pendant que le type est en train de lui dire putain Ixe t'es un bâtard gros j'viens de l'allumer c'est mon premier de la journée et d'autres trucs dans le genre, Ixe sort un morceau de sa poche, le jette sur la table devant lui et dit tiens, roule et casse pas les couilles.

On passe la véranda, un store cassé pend du haut de la vitre jusqu'à toucher le sol, et on arrive dehors où une petite terrasse précède un jardin tout en longueur. Derrière c'est comme devant. Ce Romain est soit une feignasse soit un putain d'amoureux de la nature. Sur la gauche, là où se dirige Ixe, un espace semble pourtant aménagé. Il a construit un cabanon aux parois grillagées qui contient un buisson. Il attrape l'extrémité d'une branche passée à travers le grillage, regarde-moi ça il dit, et je vois une grosse tête d'herbe bien compacte, dense, et grasse au toucher. On dirait un mini sapin de Noël. Je fais oh putain, et lui il se met à rire, il est tout excité. Il commence à m'expliquer des trucs sur la floraison, les branches, les boutures, les engrais. Dans ce qu'il dit il y a le mot compact qui ressort souvent, et il insiste bien dessus. Il ajoute qu'il lui parle à sa plante, c'est pour ça qu'il ne pouvait pas venir m'ouvrir.

On reste un peu dehors à contempler le buisson. Il dit que ce n'est pas pour faire un billet, que c'est pour nous. Je dis c'est cool, et je lui demande si je peux tirer une latte sur le joint qu'il a subtilisé. Chargé le spliff. Et c'est qui ce Romain alors, je demande. C'est un pote de Poto au départ. Il vit seul dans cette maison, depuis que ses parents sont morts. On ne sait pas de quoi, simplement que c'est arrivé l'année dernière. Je dis merde. Et ça le gêne pas que tu plantes chez lui ? Il dit non, lui il est content, j'avoue je profite un peu mais je vais le mettre bien, c'est un bon gars le p'tit. Je hoche la tête. Ixe ce n'est pas le genre à profiter des gens. Pas comme Untel. Et toi ça va ? je demande. Il répond gros, toujours la même merde, j'ai envie d'me casser, voir autre chose, j'te jure j'en peux plus, mais bon, que veux-tu. Je dis ouais dans un soupir et il jette la fin du joint par terre.

Miskine joue toujours à la console, avec Romain cette fois. Il tire un coup franc sur le poteau. Nique sa mère, le jeu il veut pas que j'marque, il dit. Poto, Habib et l'autre mec au collier de barbe jouent aux cartes. Vu l'absence de pioche et le nombre de cartes qu'ils ont dans les mains j'en conclus que je ne connais pas ce jeu. Ixe se place derrière Poto, et dans un rire il dit hey Poto pourquoi t'as un 8 un 2 une dame un valet un 7 et un 5 ? Moi je rigole pendant que Poto s'emporte, vas-y Ixe t'es relou là, et Habib dit ah bon t'as pas de roi, bah tiens tu joues pas, tandis qu'il en pose un au milieu. On rigole tous sauf Poto qui demande à recommencer la partie, et qui s'énerve contre Ixe en lui disant que c'est un galérien et que s'il se fait chier il n'a qu'à jouer à la console avec Miskine ou aller parler avec des arbres wesh, et moi pendant ce temps-là je me dis que décidément je ne connais pas ce jeu.

Ixe écrit des messages sur son téléphone et moi j'effrite mon shit. Je les regarde jouer. Ils ne font que de s'embrouiller. Poto accuse sans cesse Habib de cacher des cartes sous son coude, et l'autre au collier de barbe les rappelle à l'ordre en menaçant d'arrêter de jouer, ce qui lui vaut à chaque fois un ferme ta gueule de la part de Poto, qui s'empresse d'adresser un nouveau reproche à Habib qui lui répond qu'il abuse de l'accuser comme ça tout le temps, et lorsqu'il se retrouve dans l'impossibilité de jouer et qu'il doit ramasser le tableau pour l'ajouter à son jeu, Poto crie au scandale, et puis il monte en pression tout seul, il dit qu'il s'en bat les couilles vas-y vous êtes des bouffons d'façon ça sert à rien d'jouer avec vous, sérieux vous avez quoi ce soir à m'casser les couilles comme ça là, jusqu'à se lever et balancer son jeu sur la table. Habib lui demande s'il est sérieux là, et Poto s'allume une clope en rigolant. Arrivé près de l'écran il annonce à Miskine qu'il va lui mettre une pilule à la console.

Je passe le mélange dans la feuille. Habib propose un poker à vingt balles mais personne n'est chaud. Ixe se rappelle qu'il avait des tickets à gratter, en sort trois de sa poche, en gratte deux qui sont perdants. Habib dit gros, le dernier tu vas gagner, j'parie y a dix mille euros dessus, et Ixe répond ah ouais, bah j'te le vends cent euros, et Habib direct il dit vas-y j'te l'achète, la vie d'ma mère, et ça commence à s'exciter autour, moi je rigole, tout le monde se met à gueuler dans tous les sens. Poto dit à Habib qu'il ne peut plus reculer, qu'il a juré sur la vie de sa mère, Ixe lui dit vas-y donne-moi ma thune, Miskine a quitté son jeu pour venir le traiter de bouffon, et Habib il ne sait plus où se mettre, il dit mais non j'rigolais t'es un ouf. Et puis il y a Romain qui s'approche aussi et qui retourne le truc en disant hey mais tu sais pas si ça c'trouve y a vraiment dix mille euros sur le ticket, et vas-y qu'ils se mettent tous à mettre la pression sur Ixe qui en arrive presque à hésiter.

Ça gueule ça gueule et puis ça retombe. Poto invective Habib, il lui dit pourquoi t'ouvres ta gueule pour rien hein, tu veux faire genre mais t'as pas de couilles en vrai! Habib se défend, il lui dit bah vas-y achète-lui son ticket cent euros toi à ce moment-là. Mais moi j'ai rien dit gros, c'est toi qu'arrives comme ça t'annonces qu'il y a dix mille sur le ticket! Mais gros j'en sais rien moi, j'ai dit ça comme ça! Ouais bah ferme ta gueule si c'est pour dire d'la merde! Hey reste tranquille Poto parle bien tu fais quoi là. De quoi, tu vas faire quoi d'façon hein, tu vas faire quoi, rien, alors ferme ta gueule pourquoi tu fais l'fou. Je lèche le collant.

Il n'y avait rien sur le ticket. Habib n'arrête pas de proposer des paris dans tous les sens, genre deux balles que la première carte du paquet c'est un trèfle, mais il se fait rembarrer par tout le monde. Les autres se relaient pour jouer à la console. Ça ne fait pas une heure que je suis là que déjà je me sens dans mon élément. L'ennui, c'est de la gestion. Ça se construit. Ça se stimule. Il faut un certain sens de la mesure. On a trouvé la parade, on s'amuse à se faire chier. On désamorce. Ça nous arrive d'être frustrés, mais l'essentiel pour nous c'est de rester à notre place. Parce que de là où on est on ne risque pas de tomber.

Ça frappe à la porte, sans ménagement pour le verre. C'est qui, fait Ixe, t'attends quelqu'un ? Romain dit non, et il va voir. C'est pour moi, fait savoir Miskine. Depuis quand tu donnes rendez-vous chez les autres, demande Ixe, et Miskine lui répond bah quoi, je fais comme toi. Quand la porte s'ouvre j'entends la grosse voix rocailleuse d'Untel qui dit bien ou quoi, c'est toi Romain ? Il est là Miskine ? Romain dit oui mais a l'air d'hésiter. C'est bon t'inquiète hurle Miskine depuis le salon, sans décrocher de l'écran. Untel entre dans la maison sans que Romain l'ait véritablement invité à le faire, et il n'est pas tout seul. En empruntant le couloir qui mène au salon il dit putain, faut faire attention aux branches quand on vient chez toi. Gros, t'as besoin d'outils de jardinage ? J'peux avoir des plans pour toi. Ixe ferme la porte de la véranda tandis qu'Untel entre dans le salon.

Rholala mais c'est l'bordel là-dedans, bien ou quoi ça dit quoi les gars. Ixe, bien ou quoi mon gars sûr, et il l'attire vers lui après lui avoir serré la main, l'invitant à une accolade à laquelle Ixe participe sans trop de conviction. Untel, c'est le plus attachant de tous les fils de pute que je connais. Il n'y a que sa mère qui a l'assurance qu'il ne lui mettra jamais à l'envers. Et encore, il y en a pour qui ce n'est pas sûr. C'est un charmeur. Mon père trouve qu'on le juge mal, ce garçon. Ça c'est parce qu'il ne s'est pas encore mangé une douille. Quand ça arrivera, tout le monde lui dira que c'était sûr. Pas moi, ceci dit. Untel est un type qui travaille dur, un type qui a fait des choix. Il assume. Et forcément, avoir l'air bien sous tous rapports au premier abord, c'est la base pour un escroc. Sachant ça, il est honnête, pour un menteur. Les autres il les salue d'un tchek basique, petite tape main ouverte puis les poings joints. À moi il me fait la bise. Jonas, bien ou quoi ma caille. Je lui dis et toi mon négro. Il dit qu'il faut qu'on s'capture pour parler du daron. J'lui dis ouais, comme d'hab, et on rigole. Le mec qui accompagne Untel c'est Lahuiss. C'est un bon pote à nous, on le connaît depuis tout petit mais on ne le voit pas souvent. Il est parti à la ville pour ses études, il fait l'aller-retour. Il passe nous voir de temps en temps. La dernière fois, chez Ixe, il a plaisanté en disant qu'il venait ici comme au parloir. Ixe avait ri jaune. Il est dans un autre délire Lahuiss maintenant, même s'il a gardé plein de trucs d'ici. Ça reste l'un des nôtres. Parfois on se fout un peu de sa gueule en lui disant qu'il s'embourgeoise. Depuis qu'il est parti, il nous raconte toujours des anecdotes sur les soirées qu'il fait, les gens avec qui il traîne et qui ont toujours des plans, les meufs qu'il chope. On les aime bien ses histoires, parce qu'il raconte bien. Mais ça nous arrive entre nous de trouver que c'est un enfoiré parce qu'il ne fait pas croquer. Encore qu'il est possible qu'on y soit pour quelque chose. Avec Untel il forme un duo improbable. Il n'y a qu'à les regarder. D'un côté il y a Untel, gros renoi, beubar, bonnet Lacoste à bord retroussé, cuir rembourré noir à capuche, jean Levi's et paire d'Air Max. Un gars à l'ancienne, bien de chez nous. Toujours un spliff dans la gueule. Lahuiss il est en mode col roulé, petite veste cintrée, mèche sur le côté, pantalon serré et souliers en cuir. Et le mec il arrive, il te tcheke et il te dit ouais gros, bien ?

Untel est venu voir Miskine qui se lève enfin de son foutu siège. Apparemment il tombe bien, Ixe avait des trucs à lui dire. Ils se mettent tous les trois autour de la table basse devant l'écran, et nous les autres on est autour de la grande table. On se fout vite fait de leur gueule quand Habib les interpelle de loin en disant non mais regardez-moi cette association de malfaiteurs, et ça fait beaucoup rire Untel. Pour lui c'est de la reconnaissance. Poto s'agite, il demande vas-y on fait quoi là, le mec au collier de barbe qui ne décroche pas un mot n'en dit pas plus, et Romain s'assure qu'on ait tous quelque chose à boire. Lahuiss s'est installé en face de moi. Il me dit Jonas, ça va ou quoi, je réponds ouais. Il allume une clope. Untel m'a dit que t'avais perdu un combat récemment. Je dis ouais. Il me dit c'est ta première défaite non, je dis non, en seniors c'est ma deuxième. Il fait ah, et puis me demande combien j'ai de victoires. Je dis treize, et il a un geste du menton l'air de dire ah ouais pas mal. Il tire une latte sur sa clope. Tu fais quoi en ce moment, il demande. Je soupire et je dis bah écoute pas

grand-chose t'as vu, j'suis là, j'attends. Tu fais même
pas un peu d'intérim à droite à gauche ? il me demande,
et avec un geste du bras je lui dis vas-y c'est bon, je les
ai toutes faites les usines ici, ça m'a soûlé. Il souffle la
fumée de sa cigarette, il me regarde. Il me dit et la boxe,
y a pas moyen de faire quelque chose avec ça ? Je dodeline de la tête, je me demande comment je vais esquiver la question, mais bon Lahuiss ce n'est pas facile de
le prendre pour un con. Je lui dis gros, moi j'ai pas envie
de finir avec le zen éclaté les joues gonflées et le cerveau
en compote à force de me manger des coups, les mecs
qui finissent leur carrière avec la gueule impeccable ils
sont triples champions du monde, moi t'as vu comment
je vis, où je m'entraîne, c'est mort. Lahuiss il fait pfff, et
du coup tu vas faire quoi il demande, et je lui dis hey t'as
envie de casser les couilles ce soir ou quoi ? Ça fait marrer Poto, qui dit non mais le truc c'est que Jonas c'est un
bon boxeur mais c'est pas un athlète, il est pas sérieux,
c'est Sucré qui disait ça l'autre jour et il avait raison,
et je lui dis qu'est-ce tu racontes toi, viens dans le ring
avec moi tu vas voir si j'suis pas sérieux. Pour changer
de sujet, Lahuiss nous sort sa spéciale, il dit bon sinon,
ça baise un peu en ce moment ? Je réponds que s'il continue comme ça il va vraiment me fâcher, et ça le fait rire,
et moi aussi, et Poto pointe Lahuiss du doigt en disant
toi Lahuiss je sens que t'as un truc à nous raconter, et
Habib ajoute ouais, rien qu'à ta gueule ça se voit. Lahuiss
se redresse sur sa chaise, il prend sa pose de quand il
va raconter. Une attitude presque professorale. Il aime
ça Lahuiss, les auditoires. Toujours une histoire sous le
coude. Il dit les gars, j'suis dans une merde noire. Je me

suis emmené tout seul dans un traquenard pas possible. Il écrase sa clope et quasiment dans le même geste en allume une autre, tire une latte, souffle la fumée, cendre. C'est quoi demande Poto, faut qu'on aille frapper des gars ?, et Lahuiss répond non rien à voir t'es un ouf. Il cendre sans avoir tiré sur la clope. Il dit gros, y a déjà un bail de ça je bossais avec une meuf, et t'as vu on s'entendait bien, mais rien de fou, on était potes, si si Habib j'te jure, et un jour, il tire une latte, un jour la meuf elle me présente ses deux cousines, il souffle la fumée, et là, il cendre, j'te jure, les deux frangines là, t'as jamais vu ça. Du coup tu vois de fil en aiguille on s'est mis à se fréquenter et moi j'ai vite compris que les deux elles étaient sur mes côtes, j'te jure j'étais en mode coq tout le temps, mais moi à l'époque je sortais avec Caroline, tu te rappelles, Caroline, non ? Bref j'en profitais pour faire le gars mais ça s'arrête là, sauf que maintenant que je suis plus avec la meuf j'ai commencé à revenir dans le game, tu vois c'que j'veux dire, et il tire une latte. Et alors quoi dit Poto, tu veux serrer les deux c'est ça ?, et Lahuiss dit non, il souffle la fumée, en fait je sors avec l'une et je flirte avec l'autre, qui n'est pas au courant pour sa sœur et moi, et il cendre. Oh l'bâtard fait Habib, et Lahuiss tire une latte, il a l'air gêné finalement, il dit gros, moi au départ j'étais sur la p'tite, il souffle la fumée, la grande c'est la meuf que le monde entier voudrait objectivement pécho tu vois, mais la p'tite elle dégage un truc, j'sais pas comment dire, il cendre. Et du coup c'est quoi le problème je demande, t'as qu'à rester avec la p'tite puisque tu la préfères, et Habib fait ouais voilà, comme ça la grande tu nous la présentes. Lahuiss souffle la fumée, il dit les gars, il tire une latte, le problème c'est que moi je ne suis qu'amour en fait, il souffle, alors quand une femme me regarde en me réclamant de l'amour, il cendre, je sais pas, je peux pas résister, il cendre encore, alors je sens bien que si ça continue comme ça, il tire une latte, si ça continue comme ça je vais finir par la choper aussi la grande, il souffle, et ça fera de moi le dernier des enculés, il cendre. Il tire une latte, il cendre, il souffle la fumée, il cendre, il soupire, il cendre. Je le regarde avec un rictus et il dit Jonas j'te jure, j'ai pas fait exprès, et il a quand même un sourire ambivalent sur la face, ça fait que ce n'est pas facile de le situer ce garçon, on ne sait jamais si c'est un insouciant plein d'innocence ou un authentique fils de pute. Il a ce truc de faire passer ses coups de vice pour de la candeur. T'es un chacal, dit Poto qui a l'air d'avoir son avis sur la question, même s'il y a fort à parier qu'il aimerait être à sa place. Cendre, latte, fumée, latte, il écrase la clope, il souffle, et il dit ouais putain, j'suis vraiment qu'un salopard. En même temps qu'il parle je l'observe. Il gesticule beaucoup quand il parle, avec ses mains notamment, ses mains parées de bagues en or, trois à chacune, dont une chevalière à la main droite que je voulais lui piquer quand on était petits. À l'époque elle était trop grande pour lui, alors il avait toujours le poing fermé, pour ne pas qu'elle tombe. Il bouge tout le temps quand il parle mais il y a quelque chose d'harmonieux dans sa gestuelle, rien de maladroit chez lui. Ce n'est pas un bourrin Lahuiss, il sait choisir ses mots. Assez caillera pour ne pas se renier, assez distingué pour ne pas s'enfoncer. J'imagine bien que dans d'autres milieux il ne parle pas comme à nous. Il sortira d'ici tout propre.

Alors que nous ce sont des bleus, des poumons encrassés et quelques neurones qu'on sème sur un chemin qui ne fait rien d'autre que tracer une boucle.

Les gangsters de la table basse ont l'air d'en avoir fini avec leur conversation. Untel annonce qu'il va partir. Il regarde Romain et dit gros, c'est le dawa chez toi, ça t'est déjà arrivé de ramener une meuf ici et qu'elle se barre en courant?, et il rigole tout seul. Il redit à Romain qu'il peut lui avoir du matériel de jardinage, et ça me fait rire cette manière qu'a Untel d'avoir toujours des trucs en stock. Quand il propose des paires de basket je comprends, mais la dernière fois il avait des guitares électriques le mec. Et là il parle d'un taille-haie qu'il n'arrive pas à refourguer, et il en vante les mérites auprès de Romain qui se croirait aux prises avec un vendeur d'une enseigne de jardinage. En parlant de jardin, ça lui donne la curiosité d'aller voir comment c'est derrière, et il passe la porte de la véranda, suivi par Lahuiss, qui fait déjà des blagues sur comment on pourrait faire un trek de survie ici. Ixe me regarde, je le regarde aussi, on a tous les deux compris que son secret allait être découvert, et à peine trente secondes plus tard Untel est déjà de retour dans le salon, tout excité, s'adressant à Romain, hey c'est à toi ça dehors?, et vas-y qu'il commence à lui expliquer comment ils vont s'organiser pour la vendre, et Ixe fait hop hop hop Untel tu te calmes direct, elle est à moi la weed. Untel se met à rire très fort, il dit mais non Ixe j'hallucine, je savais pas que t'étais comme ça. Là où Ixe prend ça comme un délire pour faire profiter les potes, Untel y voit surtout l'occasion de se faire de l'argent facilement. On n'a qu'à en vendre une partie propose Miskine, mais

Ixe ne veut pas en entendre parler. Lahuiss, en tapotant sa clope éteinte contre l'ongle de son pouce, se lève
de sa chaise, et avec l'air d'un mec super fier de ce qu'il
s'apprête à dire, il dit au moins, on peut considérer que
c'est une manière comme une autre de cultiver son jardin. Habib fait houla, qu'est-ce qu'il nous raconte çui-là.
Quoi tu connais pas Voltaire, demande Lahuiss faussement outré. Wesh les gars y en a parmi vous qui sont
allés au lycée ? Cultiver son jardin, c'est dans *Candide*.
Tu vois ou pas, *Candide*, il demande en se tournant vers
Habib qui répond ouais ça me dit quelque chose, je crois
ma sœur elle l'a lu pour l'école. Ouais, certainement dit
Lahuiss, certainement que ta sœur l'a lu à l'école vu que
y a qu'elle dans la famille qui est allée jusqu'en termi-
nale. Habib rigole fort en disant oh l'bâtard. Bon et du
coup, je dis, c'est quoi cette histoire de jardin là. Lahuiss
allume sa clope. Vas-y là allume pas ta clope j'ai dit qu'on
y allait, s'énerve Untel. Ta gueule, répond Lahuiss sans
le regarder.

Les gars, j'vais vous la faire courte, mais *Candide* c'est
l'histoire d'un p'tit bourge qui a grandi dans un château
avec un maître qui lui apprend la philosophie et tout
l'bordel t'as vu, avec comme idée principale que, en gros,
tout va pour le mieux dans le meilleur des mondes. Du
coup Candide t'as vu il est bien, il fait sa vie tranquille-
ment, sauf qu'un jour il va pécho la fille du baron chez
qui il vit tu vois, Cunégonde elle s'appelle. Bah ouais,
on est au dix-huitième siècle ma gueule. Du coup là
aussi sec il se fait tèj à coups de pompes dans l'cul et il
se retrouve à la rue comme un clandé. De là le mec il va
tout lui arriver : il se retrouve à faire la guerre avec des

Bulgares, il va au Paraguay, carrément l'autre il découvre l'Eldorado enfin bref, le type j'te raconte même pas les galères qui lui arrivent. Ah ouais j'te jure, le gars il bute des mecs, y a un tremblement de terre, son maître il se fait pendre, il manque de crever en se faisant arnaquer par un médecin, il se fait chourave ses lovés par un prêtre, carrément, un merdier j'te jure c'est à peine croyable. J'vous dis ça en vrac, j'me rappelle pas forcément le bon ordre hein, je l'ai lu y a longtemps t'as vu. Bien plus tard donc il retrouve sa meuf, Cunégonde, sauf qu'elle a morflé vénère t'sais, parce qu'elle a eu la lèpre ou je sais plus quoi mais voilà quoi elle a une gueule toute fripée la meuf on dirait un cookie, mais t'as vu Candide c'est un bon gars alors il la renie pas. Et puis il retrouve son maître aussi, qu'est pas mort en fait, on sait pas pourquoi. Et à la fin, le mec, après avoir eu toutes les galères possibles, il se fait un potager t'as vu, et à ses yeux y a plus que ça qui compte, le reste il s'en bat les couilles. Il tire sur sa clope. Et la dernière phrase du livre c'est quand le maître en gros il arrive et il dit que la vie est bien faite parce que si Candide il avait pas vécu tout ça, alors il serait pas là aujourd'hui à faire pousser des radis, et Candide il dit c'est bien vrai tu vois, mais le plus important, c'est de cultiver son jardin. Poto réagit en disant qu'il a connu un mec comme ça qui a tout plaqué et qui est devenu agriculteur, mais Lahuiss dit que ce n'est pas vraiment de ça qu'il s'agit. Ma parole les gars vous devriez le lire, il fait, et on commence à ricaner comme des cons, l'air de dire ouais c'est ça ouais, et Lahuiss s'en offusque un peu, il dit j'suis sérieux les gars, moi je suis sûr que ça vous ferait pas de mal. Untel dit wesh on s'en fout de l'histoire d'un gars qui se fait un potager, moi le mec qui fait un potager je lui graille ses tomates, et Lahuiss dit ouais mais y a autre chose derrière. Je demande y a quoi derrière. Lahuiss cendre en disant qu'il faut tout nous expliquer, et il commence à dire que Candide au départ c'est un mec qui vit avec un paquet de certitudes alors qu'il connaît que dalle à la vie. Voyager, être confronté à de nouvelles personnes, voir comment ça se passe ailleurs, tout ça lui permet d'élargir ses représentations. Ses représentations ? demande Habib, et Lahuiss dit ouais, sa manière de voir les choses si tu préfères, et Habib fait ah ok. En fait, il poursuit, c'est une réflexion sur l'expérience, l'idée c'est que cultiver ton jardin ça revient à cultiver ton esprit, et dans le livre ça passe par le fait de connaître et voir des choses nouvelles. Si tu restes dans ton aquarium à tourner en rond tu vas te persuader que le monde c'est ça, l'aquarium. Ton jardin, si tu le cultives pas, il te donnera pas à manger. C'est tout con c'que j'te raconte en fait. Le jardin c'est juste une métaphore pour parler de ton être, de ton esprit. Voilà quoi, en gros. Je hoche la tête en signe d'approbation, et je ne dis rien, de peur de dire une connerie.

Périscope

On habite une petite ville, genre quinze mille habitants, à cheval entre la banlieue et la campagne. Chez
nous, il y a trop de bitume pour qu'on soit de vrais campagnards, mais aussi trop de verdure pour qu'on soit de
vraies cailleras. Tout autour, ce sont villages, hameaux,
bourgs, séparés par des champs et des forêts. Au regard
des villages qui nous entourent, on est des citadins par
ici, alors qu'au regard de la grande ville, située à un peu
moins de cent kilomètres de là, on est des culs-terreux.
Personnellement je n'y connais rien en agriculture.

Un affluent coupe la ville en deux. Le courant remonte
du sud vers le nord, vers la grande ville. La rive est, c'est
là qu'il y a les deux cités, les Tours situées sur la colline
et les Bâtiments, plus loin, avec le commissariat entre
les deux, et puis l'hôpital, la cité scolaire, l'autoroute, la
zone d'activité commerciale avec ses magasins tout flin-
gués, ses tout à dix balles et ses marchés discount. La rive
ouest, c'est le centre-ville dès qu'on passe le pont, l'église,
une place, quelques cafés, des commerces en difficulté, et
puis les rues adjacentes. Ils ont fermé la librairie récemment. Autour d'ici c'est agricole et ouvrier. Ça implique

que dans le centre il y ait autant d'agences d'intérim que de boulangeries. Après le centre-ville, on passe le canal, et puis c'est la gare, et les quartiers résidentiels, articulés autour de la mairie, la piscine municipale, le stade, le collège privé, le supermarché. Et tout au bout, une autre colline, qui fait face à l'autre, sauf qu'à défaut d'une cité de tours on y trouve des maisons luxueuses. À l'ouest, il y a plusieurs lotissements comme celui dans lequel j'ai grandi et où je vis toujours. Ils communiquent plus ou moins entre eux, les jeunes de là-bas traînent ensemble. Le nôtre il est à l'écart, plus proche du centre-ville. Plus à l'est. Ça fait qu'on ne s'est jamais vraiment identifiés aux mecs des pavillons, alors que comme eux on venait des lotissements. Déjà nous, on n'avait pas de scooters. Quand des mecs de là-bas traînaient avec des mecs de cité, c'était généralement pour les trimballer à droite à gauche avec le leur.

La cité scolaire est située sur la rive est, entre les deux cités de la ville, les Tours et les Bâtiments. Tous les lascars de là-bas on les retrouvait ici, dans ces deux collèges, et un peu moins dans le lycée. Les trois établissements donnent sur une gare routière, point de convergence. Tout ce qui était règlements de comptes, coups de pression, conciliabules, embrouilles, tout ça, c'était là. Vu que mes potes et moi on était des Pavillons on n'était pas pris au sérieux. Pour ceux des Tours en particulier on se la racontait, parce qu'on s'habillait comme eux, parce qu'on copiait leurs attitudes, alors qu'on avait chacun notre chambre et que nos fringues de marque n'étaient pas tombées du camion. Pas crédibles les mecs, à vouloir jouer les lascars. C'était mal vu. Ixe aussi il a grandi dans un pavillon, mais à lui personne ne lui disait rien, parce que le jour où un mec a voulu le tester, tout le monde s'en rappelle. C'était à la gare routière. Ils sont venus à trois. Il y en avait un qui gueulait un peu plus fort que les autres. Ixe lui a sauté à pieds joints sur la tête après l'avoir envoyé au sol. Ce jour-là j'ai compris qu'il fallait frapper le premier.

L'école était un prétexte. C'était une arène. C'était à qui ne baisserait pas les yeux. À ce jeu-là il n'y a jamais grand monde en finale. Tant qu'on baisse les yeux on peut s'en sortir avec une claque derrière la tête. Et on trace, on tâche de se faire oublier. Se faire discret. Petit. Nous, on n'agressait pas les gens. Ou peut-être un peu Untel, Ixe aussi, légèrement, mais en tout cas pas moi, ni Sucré, encore moins Lahuiss. Mais on n'acceptait pas d'être des proies potentielles. D'être regardés de haut. On n'était pas des p'tits bourges des lotissements, pas des cailleras de cité. On ne voulait ni être traités comme les uns, ni se comporter comme les autres. On voulait juste ne se mêler des affaires de personne, et que personne ne se mêle des nôtres.

Un jour des mecs des Tours ont giflé Lahuiss et lui ont pris sa casquette, prétextant que ce n'était pas parce qu'il traînait avec Untel qu'il pouvait faire le malin. On a entendu dire qu'on était des baltringues parce qu'on n'avait rien fait. Au bout de la gare routière il y avait un préau. Le matin, c'était chaud, ça jouait au petit pont massacreur avec une balle de tennis. Si la balle passe entre les jambes d'un joueur, tous les autres ont le droit de le frapper jusqu'à ce qu'il arrive à sortir du préau. S'il n'y parvient pas, on s'arrête quand on considère qu'il a assez mangé. On s'est bien amusés à ce jeu, mais fallait être téméraire. Ou alors bien entouré. Au départ il faut quand même être du genre à trouver ça drôle de se prendre des coups, même si on joue avant tout pour en donner. Un jour où les types qui avaient emmerdé Lahuiss participaient on s'est incrustés dans la partie. Untel, Ixe, Sucré, Lahuiss et moi. Poto était trop jeune à l'époque. Ils nous ont vus venir les mecs. Au début on a fait comme si on ne les calculait pas, on a même savaté Sucré quand il a pris un p'tit pont. Et puis Lahuiss s'est approché de la balle, il était pas mal au foot Lahuiss, et il a glissé un p'tit pont à celui qui l'avait giflé, Goku on l'appelait, parce qu'il était fort à la bagarre, et Untel lui a collé une golden au mec, monstrueuse. Les potes du type ont réagi direct et on est tous rentrés dans le truc. Bagarre générale, je n'avais jamais vu ça. On était en transe. Un merdier pas possible. On aurait dit que ça n'allait jamais s'arrêter. Il m'en reste des flashs. Je revois Ixe en mettre une à un mec puis s'en prendre une à son tour, Untel tenu par deux types et qui se débat, Sucré qui fonce dans le tas, Lahuiss qui fait un coup de pied sauté. N'importe quoi. Je me revois aller au secours d'Untel mais recevoir un coup venu de nulle part. Ma casquette Lacoste qui quitte ma tête d'un seul coup, impossible d'identifier le voleur, mais j'en prends quand même un pour taper sur l'autre, ça cafouille dans tous les sens, on se chiffonne, on se mêle, on se froisse, mais quelque part on communie. En se bagarrant on s'est reconnus. On était le même genre de galériens à n'avoir que ça pour exister. Dans leur regard on avait changé. On était validés, parce qu'on s'était battus. J'avais la haine pour ma casquette Lacoste, je ne l'ai jamais retrouvée. Elle a dû être revendue à un Jean-François de la rive ouest. Dans les temps qui ont suivi j'ai scruté la tête d'un paquet de mecs pour essayer de la reconnaître. Au final, j'en ai pris une sur la tête d'un petit Blanc qui n'avait pas autant de couilles que moi.

Petite ville. Quand on ne connaît pas le nom d'un mec il suffit qu'on nous montre sa gueule. Ah oui, je vois qui c'est. Autour, c'est les villageois. J'en ai rencontré au lycée. Parfois, ils me sortaient le nom de leur bled, et je ne savais même pas qu'il existait. Des bleds de genre même pas cent habitants, où il y a des tracteurs et tout, où ça pue la terre. Les jeunes qui habitent là ce ne sont pas des scooters qu'ils ont, c'est carrément des bécanes de cross. Au lycée, j'étais toujours en retard le matin. J'avais un bus qui passait chaque heure, j'arrivais quand je voulais, au pire je prenais le vélo ou même je marchais, alors qu'il y en avait qui se levaient à 4 du mat' pour aller à l'école. Dans ma classe, une fille aimait bien me le rappeler. Elle trouvait ça scandaleux que je vienne quand je veux, comme ça. Tous les jours elle me le sortait, elle me disait ouais moi j'ai un bus à 5 h 45, si je le rate y en a plus après, je me lève à 4 heures du matin parce qu'en plus ma mère elle doit m'emmener jusqu'à l'arrêt de bus qui est à deux kilomètres de chez nous, et moi à ce moment-là je commençais à me demander si elle n'habitait pas dans une grotte la meuf. J'hésitais entre lui dire de la fermer et lui suggérer de prendre des cours par correspondance. Les villages aussi ils avaient leurs lascars. Ceux-là on ne les voyait qu'à l'école. Ils n'allaient pas à la gare routière parce qu'ils avaient des parents qui venaient les chercher. Ils avaient leurs délires à eux, ils parlaient d'aller faire du quad dans les champs, de la bécane dans la forêt. Les villageois c'est les premiers que j'ai vus devenir alcoolos. On ne s'embrouillait pas avec eux. Tous leurs darons ils avaient des fusils de chasse à la baraque, chevrotine et tout. Et c'était tout juste s'ils n'étaient pas chauds pour ramener une fourche s'il y avait embrouille.

Sur la rive ouest, il n'y avait pas de lascars. Que des petits bourges. Il y en avait bien qui portaient des survêtements, mais ça n'allait pas au casse-pipe. Ça paradait en scooter. Ça faisait des soirées. Ça allait au collège privé, de l'autre côté de la ville. Pendant que nous on était occupés à se bagarrer pour prendre le respect, eux ils se dépucelaient les uns après les autres. Le seul moyen qu'on avait d'entrer dans les soirées c'était d'y taper l'incruste. Lahuiss s'est mis à traîner avec eux et il a pris de l'avance sur nous, qui n'étions nulle part. Il était déjà un peu opportuniste, et il nous montrait la voie. Il nous a emmenés, plusieurs fois. Il a souvent dû plaider notre cause. On a toujours fini par se rendre indésirables, comme si on s'y appliquait. Après une soirée où Ixe avait giflé un mec et volé des trucs, puis une bagarre, puis une autre soirée où Untel avait posé ses couilles sur la joue d'une fille endormie pendant que Sucré prenait des photos, on n'était plus trop les bienvenus. Et Lahuiss a décrété qu'à l'avenir on pourrait aller se faire foutre. On est revenus au point de départ. Dehors.

Ballon

Ce matin, à mon réveil, mon père est dans le salon. L'écran parle fort à propos des informations. Il est assis sur le canapé, n'a pas allumé de lampe. La lumière du petit jour, malgré les volets fermés, révèle d'épaisses nappes de fumée qui flottent entre mon père et la porte-fenêtre entrouverte. Je reconnais leur parfum, c'est celui de l'afghan qu'Untel a livré l'autre jour. J'entre et il me voit, bonjour fils, et il tire sur son joint tout en ramenant sa tête vers l'écran. Je contourne un fauteuil pour aller l'embrasser, bise sur la joue et main sur l'épaule, bonjour Pap, et il tire encore sur le joint. D'habitude il est en robe de chambre avec ses chaussons, là il est habillé et il porte des chaussures. Je remarque ça après m'être penché sur lui. Il me demande, tu viens avec moi ou tu me rejoins là-bas, comme si je savais de quoi il s'agissait, et moi je reste comme ça à ne pas comprendre, jusqu'à ce que si, en fait si je sais, on est dimanche, il joue ce matin. Je fais le mec qui n'avait pas du tout oublié, et je réponds non c'est bon je vais prendre le vélo, j'arriverai au coup d'envoi, comme ça j'attends pas dehors comme un con pendant que vous vous changez dans les vestiaires. Il dit t'es sûr, parce que moi je t'attends sinon, mais tu te dépêches. Je dis non c'est bon, t'inquiète. Il dit d'accord, mais sois à l'heure. Je dis oui.

Il est parti et je me suis servi un café. L'écran est resté allumé. Je cherche un truc où ça se tape, histoire de m'occuper le temps du café-clope. Un gros chauve en sli-bar emmène son adversaire au sol pour le soumettre, et les mecs se chiffonnent par terre jusqu'à la fin du round. J'écrase ma clope. Et j'éteins l'écran.

Si je m'étais réveillé plus tôt je serais parti en voiture avec mon père, et en vérité j'aurais pu rester à la buvette à boire quatre cafés et fumer quatorze clopes en attendant que le match commence. Lui il m'aurait attendu, mais il ne manquerait plus que je bouleverse ses habitudes. Déjà que je vis à son crochet, ce n'est pas la peine d'en rajou-ter. Même si maintenant je vais me taper le trajet à vélo. En sortant je m'assure que j'ai bien fermé la porte. Trois fois. Sur le côté de la maison il y a un passage qui mène au jardin de derrière. C'est là que je gare mon vélo. Je l'aime bien mon vélo. Il a le cadre de celui qu'on avait volé devant un supermarché, les freins d'un autre qui traînait chez Ixe, et la roue arrière d'un autre encore qui n'aurait pas dû rester stationné si longtemps devant la gare. Là où j'habite, l'entrée c'est aussi la sortie. Les maisons sont dis-posées en losange autour d'un bosquet, point de conver-gence, auquel s'accole une petite mare, colonisée par des roseaux sans fleur. Il y a souvent des canards dans cette mare. Des colverts. En ce moment on a une couvée. Il y a quelques jours, j'avais compté huit canetons. Aujourd'hui, ils ont grandi déjà. Ils ne sont plus que cinq.

Je sors du quartier et je remonte la rue qui mène à la salle de boxe. La voiture de monsieur Pierrot est sur le parking. Il doit être en train de passer un coup de balai ou vérifier que les sacs sont bien accrochés au plafond. J'irais lui dire bonjour si je n'étais pas pressé, quitte à m'en prendre une parce que je ne suis pas assez couvert et qu'il fait plutôt frais ce matin. J'arrive à l'écluse, là où le canal rejoint le fleuve, et descends vers le chemin de halage, où je ne risque pas de croiser grand monde, si ce n'est un joggeur, un type qui promène son clébard, une vieille. Rien d'inhabituel.

Je n'ai toujours croisé personne quand je passe sous le pont qui va de la gare au centre-ville. C'est juste après que je vois ce pêcheur avec sa teille de pinard. Il est rouge. Tout rouge. J'en vois un paquet dans ma ville, des mecs tout rouges, mais ça m'impressionne toujours. Qu'est-ce qu'il faut se mettre. Sa rougeur, c'est ma pâleur, c'est la même. On s'entretient chacun à sa façon. Lui il a le droit, alors on ne lui dit rien. Je ne me vois pas lui reprocher, comme lui je sais qu'être défoncé ça aide. Il ne bouge pas le mec. À côté de lui il y a un seau où ce que je crois être une carpe se contorsionne pour avoir la place de tourner en rond.

Après le pêcheur j'arrive au terrain de boules, où les retraités viennent tâter du cochonnet. Il y a quatre terrains qui se succèdent, et seul le chemin que j'emprunte les sépare du canal. Tous les jours ils viennent ici les vieux. Ils sont beaucoup. Je n'en connais pas un seul. C'est plein de casquettes Stetson et de lunettes fumées. Il y en a un qui est bien rouge. J'y ai déjà vu monsieur Pierrot, mais il ne jouait pas. Il expliquait à un vieux que pour lui la pétanque c'est un truc de vieux, et un terrain de boules l'antichambre du purgatoire. La vieillesse ce n'est pas son délire à l'autre. Un jour, je l'ai entendu dire que les vieux fallait les tuer à la naissance. Y a qu'à voir. Quand j'en arrive au dernier terrain, je vois un jeune au milieu des vieux. Je me dis qu'il faut soit accompagner son grand-père, soit vraiment kiffer la pétanque, soit carrément ne pas avoir de potes. La dernière solution me fait plus rire que les autres.

La petite montée en danseuse. Un pont à traverser, une descente. Ici, le canal est parallèle au fleuve, et le chemin de halage est bordé de platanes. Sur ma gauche, le fleuve s'écoule, plus ou moins caché par des buissons, tandis qu'à ma droite le canal me protège d'une route départementale qui le longe, celle où j'aurais à coup sûr insulté des automobilistes. Je les vois qui roulent vite, et je me sens bien sur mon chemin gravillonné de pierres blanches. Il y a des oiseaux qui chantent, je les entends. Je ne crois pas qu'ils s'adressent à moi.

Dix minutes sans que rien ne se passe, ça me frustre. Ça fait quelques minutes que je n'écoute plus les oiseaux, ils se répètent. Je passe par-dessus une nouvelle écluse près d'un tout petit village où il n'y a même pas de boulangerie, et encore moins de bureau de tabac. Par contre il y a un café du commerce, que j'aperçois depuis mon chemin, où des hommes viennent de bon matin, pour rougir.

Le stade c'est au village suivant. L'équipe de mon père est obligée de jouer là-bas parce que c'est l'équipe des vétérans, et que chez nous le dimanche matin ce sont les jeunes qui jouent. Mon père il ne s'en plaint pas, il aime bien cette pelouse, c'est un billard il dit, il n'y a pas de

mottes, pas de taupes, pas de bosses. Il est beau le terrain quand j'arrive, passant la grille d'entrée et débou-
chant sur la tribune, modeste, pleine à craquer d'une
centaine de gars les jours de derby, vide quand c'est les
vétérans. Il y a bien deux ou trois pécores, et puis moi, et
m'sieur Jacques, ce vieux qui est toujours là où il y a du
foot. Je suis sûr que si j'étais allé voir les moins de dix-
sept ans à l'autre stade, je l'aurais vu là-bas, alors qu'il est
ici. Avec sa casquette, ses yeux bleus et sa barbe blanche
de trois jours. M'sieur Jacques il ne joue plus, la faute au
genou, alors à la place il me parle tout le temps de comment il était fort mon père quand il était jeune, et quel
avant-centre, j'te jure, on rentrait sur le terrain y avait
déjà un à zéro pour nous, parce qu'on savait qu'il allait en
planter un. Les gens, quand ils me parlent de mon père,
ils sont toujours si dithyrambiques que je me demande
parfois comment il n'a pas eu le ballon d'or. Et puis en
fait, je sais pourquoi.

J'arrive juste à temps. Je salue le vieux, bonjour
m'sieur Jacques, comment allez-vous ? Bien, très bien
même, t'as vu comme il fait bon ce matin ! En vrai il fait
un peu frais, sauf que m'sieur Jacques il n'a jamais froid,
il n'y a que le blizzard qui lui ferait mettre une écharpe.
J'ai un rire forcé, je dis oui, et je vais m'asseoir à quelques
mètres de là, au troisième rang de la tribune qui en
compte une douzaine. M'sieur Jacques, lui, il se tient au
pied de la tribune, à côté de la ligne de touche, derrière
une barrière à laquelle il se cramponne en y posant ses
bras croisés sous sa poitrine. Les joueurs sortent du vestiaire, il n'y a pas trente mètres pour arriver sur la pelouse.
Certains trottinent déjà pour se réchauffer, c'est le cas de

mon père, qui me jette un regard interrogateur en levant le menton, l'air de demander t'es prêt, et je le suis presque, je n'ai plus qu'à sortir de la poche intérieure de ma veste la feuille pliée en quatre que j'ai ramenée, ainsi que mon crayon de papier. Une fois que j'ai posé le tout sur ma cuisse, je suis bon, le match peut commencer.

Les joueurs se dispersent de chaque côté du terrain. Les nôtres ce sont les rouges, les autres sont en blanc. Par-ci par-là ça sautille, ça attend le coup d'envoi avec plus ou moins d'impatience. Mon père me regarde et je lève mon pouce, et lui aussi, allez Pap, fais-toi plaisir. Il sourit à pleines dents et je ne vois plus ses yeux. Il donne le coup d'envoi avec Jean-Marc, son partenaire de l'attaque, l'ancien gardien devenu joueur de champ à l'heure d'entrer chez les vétérans. Coup d'envoi, un ballon touché. Je le note.

Les blancs monopolisent le cuir, ça circule assez bien. Ces vieux-là ont l'intelligence de faire courir le ballon plutôt que leurs carcasses. En face, les rouges courent pour faire le pressing, mais c'est tout juste si depuis la tribune on n'entend pas les articulations grincer. Mon père, lui, il a plutôt tendance à s'économiser jusqu'au moment où il pourra transformer un ballon en but. Ah ils sont pas mal en face, dit m'sieur Jacques, et moi je dis ouais, ils voient pas le jour les rouges. En attaque, mon père essaie de se faire un peu oublier mais son vis-à-vis ne le lâche pas d'une semelle. Mon père il est avant-centre, c'est le numéro 9, l'attaquant de pointe. Le défenseur en face, le stoppeur, c'est le 4. Aujourd'hui il est jeune, quarante ans tout au plus, et c'est un golgoth le mec, il n'arrête pas de lui mettre des taquets, mon père ne touche pas le cuir.

Pour se défaire du marquage il redescend sur le terrain demander le ballon, et sollicite un une-deux en une touche avec Jean-Marc qui ne la lui redonne pas. Frappe contrée, perte de balle, contre-attaque bim bam boum ça fait but pour les blancs après moins de dix minutes de jeu. Ah c'est ballot ça, dit m'sieur Jacques, et moi je regarde mon père qui se replace en marchant tête basse, les mains sur les hanches. Arrivé dans le rond central, il crache un mollard qui manque de l'étouffer au passage.

Ils sont plus jeunes les blancs. Ils courent plus vite, ils font la différence dans les duels. Et en plus ils font bien tourner le ballon. Quand les rouges le récupèrent ils sont carbonisés vu comme les autres les font courir, alors ils ont tendance à le balancer devant, et en quelques minutes mon père est signalé trois fois hors-jeu. Il proteste mais je suis d'accord avec l'arbitre. Sur une remise en jeu il harcèle plus que d'ordinaire le porteur et récupère le ballon, prend de vitesse le stoppeur qui était vissé sur ses appuis, se présente face au gardien légèrement excentré, et écrase sa frappe qui termine à côté des buts. Le gardien accompagne le ballon vers la sortie. Je note, une récupération, un duel gagné, une frappe de merde non cadrée.

À la demi-heure de jeu on se fait légèrement chier. Pourtant, une passe en profondeur permet à mon père de se défaire du marquage, s'emparer du ballon, s'engouffrer dans la surface et fixer le gardien, quand celui-ci arrive pleine balle, lui plonge dans les jambes et arrache tout, provoquant la faute. Je me lève pour réclamer un penalty, mais comme l'arbitre a déjà sifflé je demande un carton rouge. Calme-toi gamin, me dit m'sieur Jacques. Mon père a déjà posé le ballon sur le point de penalty. Celui qui

69

voudrait le tirer à sa place devrait lui passer sur le corps. Trois pas d'élan. C'est peu. Coup de sifflet de l'arbitre, il s'élance, frappe de l'intérieur du pied pour la loger en pleine lucarne. Imparable. Les rouges exultent et viennent entourer mon père qui lève un poing rageur dans les airs. Le vieux Jacques, qui s'était approché de moi pour le penalty, me tape sur l'épaule, ah il a nettoyé la lunette ton paternel, l'air de dire que s'il y avait une araignée qui avait fait sa toile dans le coin entre le poteau et la transversale, bah là il n'y en aurait plus. Je note, un tir, un but, une célébration genre tu t'es cru à la Coupe du monde.

La mi-temps approche et les gars sont cuits. C'est ce que me dit m'sieur Jacques, les gars sont cuits. Je dis oui. Il fait un bon match ton père. Je ne dis rien. De toute façon je n'ai rien le temps de dire que le voilà déjà parti dans un de ses récits, ah ça ton père s'il avait encore le physique d'avant il en aurait déjà mis deux dans un match pareil, à ton père il lui en fallait pas cinquante des occases, ça non, fallait le voir quand il partait dans le dos de la défense et puis qu'il arrivait devant le gardien, chaque fois c'était but, et puis il nous a tout fait ton père, des buts de renard, des frappes de loin, des reprises de volée, y avait juste le jeu de tête qu'était perfectible, il avait peur de se décoiffer, mais on n'a jamais eu un tel attaquant depuis, il voyait avant les autres, c'était ça son truc, l'instinct, l'instinct du buteur. En le regardant dire tout ça je hoche la tête, puis retourne au terrain, en me disant que ce si beau joueur dont il parle je ne l'ai jamais vu.

Mi-temps. Un partout. Les blancs sont supérieurs mais un peu suffisants. Les rouges sont inférieurs mais combatifs. Sur la fin de la première période ça a été haché, beaucoup de petites fautes, le ballon souvent hors du terrain, et des râles. Les hommes rentrent tous au vestiaire pour se faire engueuler par l'entraîneur, comme quand ils étaient gosses. Sur le chemin mon père passe près de moi. Il dit qu'il est bien, même si son 4 ne le lâche pas d'une semelle, et qu'il est jeune le salaud. Et puis il gueule à propos de Jean-Marc qui ne lui fait pas la passe sur l'action avant le but des blancs, et moi ça me fait rire. Je lui dis de se dépêcher d'aller au vestiaire, qu'il n'attrape pas froid. Il se met à trottiner en me souriant dans un clin d'œil.

Je m'étonne toujours de la présence de cette buvette où on a le choix entre café, café au lait, chocolat chaud, Coca, jus d'orange en canette. Ou plutôt je m'étonne qu'elle soit déjà ouverte, vu qu'il n'y a personne aux matchs des vieux. C'est Jeanine, la femme de m'sieur Jacques, qui tient le mini-comptoir. C'est de famille, l'attachement au club. Leur petit-fils est milieu de terrain en équipe première, et il est plutôt pas mal. Pas assez bon pour jouer ailleurs ceci dit. Il y a les prix sur une ardoise, cinquante centimes le gobelet un euro la canette. Bonjour Jeanine, comment allez-vous. Ah mon p'tit Jonas, on se fait la bise pardessus le petit bar, t'es encore arrivé à la bourre que t'es pas v'nu m'dire bonjour ! Ha ha, bah oui Jeanine comme d'hab hein quand on joue à domicile, il doit y avoir une voix dans ma tête qui me rappelle qu'au pire je peux venir en vélo. Ah quel feignant j'te jure ! Elle sort un gobelet et attrape la cafetière. Pis c'est surtout que t'as bien d'la chance qu'y pleut pas ! Je rigole en sortant mon paquet de clopes de la poche de ma veste, puis mon feu du pantalon. Elle pose le gobelet devant moi, j't'ai mis ton sucre, merci Jeanine, et je prends la cuillère qu'elle me tend. Il y a des secondes de silence pendant que je touille. Je porte enfin le café à ma bouche, et puis j'allume ma clope. Ton père il a marqué son p'tit but, il va être content ! Ça c'est clair, je vais en entendre parler du péno en lucarne, mais je le sens pas trop mal, son 4 il est flingué, y a moyen qu'il en mette un deuxième. Ah ouais tu penses elle me demande, et je dis ouais, encore qu'il a cinquante-trois ans mon père maintenant, c'est plus comme avant. Elle dit tu m'étonnes, ah ça ton père quand il était jeune, j'te raconte pas, et pis il avait du succès auprès des filles hein, faut dire qu'il était beau, ah oui c'était un bel homme ton père, pis ça l'est toujours hein j'dis pas. Elle et moi on rit ensemble et je tire fort sur la clope. Bah alors Jeanine tu veux être ma belle-mère ou quoi, et vas-y qu'on rigole de plus belle alors qu'en vrai ce n'est pas la première fois qu'on la fait cette blague-là. En même temps qu'elle parle elle arrache des cartons pour en faire des petites coupures, ça fait du bruit et ça me dérange. D'un coup elle les pose, ou plutôt elle les lâche, et elle me dit qu'au fond c'est dommage. Qu'est-ce qui est dommage Jeanine. Elle dit tu sais, ton père il avait tout pour lui, et puis pourtant ça l'a pas fait, mais faut dire que c'était un feignant aussi celui-là. Il aimait sortir, être avec ses copains, et puis les filles. Ici ça l'empêchait pas d'être le meilleur, ça lui suffisait s'il pouvait profiter de la vie à côté. Et puis il a commencé à être moins là, à choisir ses matchs. Et quand t'es né, là, c'était fini. Je tire sur ma clope. Ah, oui, c'est dommage elle fait dans un soupir, et je répète ça à voix basse.

Je tire la dernière latte de la clope avant de boire la dernière gorgée de café. J'écrase le mégot sous ma chaussure et Jeanine me rappelle qu'elle préfère quand je le jette à la poubelle juste à côté, et moi je fais celui qui oublie à chaque fois. Je sors une pièce de cinquante centimes, allez tiens Jeanine, t'auras pas perdu ta matinée comme ça. À tout' mon Jonas, évite de prendre froid. Oui Jeanine. J'allume une nouvelle clope et décide de faire le tour de la tribune avant d'aller me rasseoir. Je tue une minute. Certains joueurs sortent déjà des vestiaires, prêts à en découdre. Il y en a un qui fait des pas chassés, un autre qui trottine, mon père marche. Pouce en l'air dans ma direction. On s'en sort bien jusque-là, dit m'sieur Jacques, qui n'a pas bougé de là de toute la mi-temps. Je dis oui, et je ressors mon papier et mon crayon.

C'est reparti, les blancs donnent le coup d'envoi. Les rouges montent au pressing, mais ils se font balader. Les blancs développent une jolie action, mais leur numéro 9 se chie dessus et ne trouve pas le cadre. Les rouges essaient de poser le jeu à leur tour, mais soit les passes sont imprécises, soit elles demandent à ceux qui les reçoivent un effort qu'ils ne peuvent pas assumer. Il y en a, rien qu'à les regarder courir il y a de quoi rigoler. Je n'ai jamais proposé à mes potes de venir avec moi le dimanche matin, mais entre ceux qui me diraient que c'est trop tôt et les autres qui passeraient leur temps à rigoler j'aurais du mal à prendre mes notes. Dans ces gestes laborieux, empesés et maladroits, on voit ce qui nous attend. On est tentés de louer leur bravoure dans un sens, mais à dire vrai la plupart ne sont pas là par vaillance. Plutôt par déni. Déni de leur propre déclin. On les voit ceux qui croient vraiment pouvoir faire comme quand ils avaient vingt ans. Pourtant la mécanique ne cesse de leur prouver le contraire. Ils s'entêtent. C'est comme ça qu'ils se font mal, à la fin.

Sur le terrain, ils ont des visions de ce qu'ils auraient fait si leur corps avait pu suivre, réaliser le bon geste. Et face à leur échec, ils accusent la pelouse, le ballon, la chaussure. Eux non, rien à voir. Ils sont lourds. Mais gais.

Alors que ça joue depuis dix minutes dans la seconde mi-temps les rouges récupèrent le ballon au milieu de terrain, ce qui donne une contre-attaque au bout de laquelle, après avoir éliminé deux défenseurs, Jean-Marc lance parfaitement mon père en profondeur, à pleine vitesse. Le 4 est débordé. Mon père n'a plus qu'à parcourir une dizaine de mètres pour aller défier le gardien, qu'il élimine d'un crochet intérieur, se retrouvant face au but vide. Derrière lui, le 4 a refait son retard à grandes enjambées et tacle la cheville de mon père d'un geste désespéré, les deux pieds décollés du sol, juste après qu'il a poussé la balle de son pied gauche au fond des filets. Un beau cri de footballeur se fait entendre, pendant que les autres rouges fêtent le but entre eux, laissant mon père la face dans la pelouse. Les soigneurs entrent sur le terrain armés de leur fameuse bombe de froid, remède à toute douleur, soin palliatif du footballeur. L'entraîneur des rouges a déjà envoyé son unique remplaçant s'échauffer au bord du terrain, pendant qu'on s'agglutine autour du blessé. Même le 4 vient le voir et a l'air de s'excuser en lui tapotant l'épaule. Il se relève grâce à ceux qui tirent sur ses bras, et il fait ce roulis avec les deux mains, vers le banc de touche, qui veut dire sortez-moi de là. J'ai rangé le papelard après avoir noté un bel appel, un dribble sur le gardien, un but, une sortie sur civière.

Ah bah v'là qu'ils nous l'ont cassé tiens, s'insurge le vieux Jacques. Moi je rigole à côté, en disant que ça en fait des choses dont je vais entendre parler cette semaine, entre cette lucarne sur penalty, ce crochet sur le gardien et ce tacle assassin. Le match reprend et je vois mon père s'asseoir péniblement sur le banc de touche, remplacé par Gérard, le carreleur, qui ne pensait pas avoir à entrer si tôt dans la partie. Je serre la main de m'sieur Jacques, allez j'y vais moi. Ah bon, tu restes pas voir la fin du match. Non m'sieur Jacques, j'ai fait mon boulot moi ça y est. Et tu vas faire quoi là, tu combats bientôt ? Là j'vais rentrer et puis j'vais certainement aller courir, je pense, parce que non j'ai pas de combat de prévu mais j'espère que c'est pour bientôt. Ah bon, c'est bien ça, faut que tu remontes vite en selle Jonas parce que ça a été dur la dernière fois. Justement m'sieur Jacques, j'aimerais bien le reprendre celui-là. Il dodeline, il fait ah non Jonas, je sais pas si c'est une bonne idée ça, faudrait que tu fasses un combat de rentrée d'abord, un adversaire plus à ta portée, histoire de reprendre confiance. Je laisse un silence s'installer, et puis je dis m'sieur Jacques, c'est gentil de votre part de vous soucier de moi, mais contentez-vous de parler de football. Il n'a pas l'air surpris. Très bien mon garçon, comme tu voudras, en tout cas je viendrai te voir boxer. Merci m'sieur Jacques, ça me fera plaisir de vous savoir dans la salle, je tâcherai de ne pas vous décevoir, bonne journée. Bonne journée à toi gamin, et prends soin de ton vieux père. Je dis oui.

Hop je prends le vélo et je mets trois coups de pédale qui m'emmènent jusqu'à Jeanine, on se tape la bise par-dessus le comptoir, et puis voilà quoi, je me casse. Je regarde vers le banc de touche où mon père se tord encore de douleur, en m'approchant du portail, le bras levé, il va bien finir par me voir. Il lève le bras juste avant que je disparaisse derrière les murs d'enceinte, une fois le portail passé.

Je reprends le même chemin en sens inverse. Les virages qui étaient à gauche sont à droite maintenant. Le fleuve parallèle. Là il y a une ligne droite alors je bombarde. Je suis en danseuse, grand braquet, j'appuie fort. Il y a des feuilles qui se soulèvent du sol dans mon sillage. Le pont, les terrains de boules. Le jeune fait un carreau. Il y a un vieux qui dit joli, et un autre qui sort un truc, putain, je n'ai rien compris.

Et puis il y a le pêcheur. Il y en a moins dans la bouteille. Il s'est bien mis un demi-litron. Je freine en dérapage à cinq mètres de lui il fait houla !, ça le surprend et puis ça fait de la poussière. Moi je me dresse, les jambes par-dessus le cadre, les pieds au sol et tenant fermement le guidon. Je souris fort et je dis bonjour, le mec reprend son calme et il répète ce que je dis. Le seau abrite deux carpes maintenant. L'une a la tête où l'autre a la queue. Elles gigotent mais ce n'est pas ça bouger. Le type m'interroge vaguement du regard, et alors qu'il semble sur le point de prendre la parole je pousse le haut du seau avec la pointe de mon pied gauche, ce qui précipite les deux poiscailles à la flotte. L'eau est trouble alors c'est à peine si je les vois se carapater. Moi par contre en trois coups de pédale je suis déjà à quinze mètres de là, le mec il ne s'est pas encore mis debout. Il me traite d'enculé et moi je rigole.

Au calme

Je regarde si Untel m'a appelé ou quoi, un texto une connerie je sais pas, parce que putain il a dit qu'il arrivait dans cinq minutes et ça fait une heure. Moi je sais bien qu'il ne va pas arriver dans cinq minutes quand il dit cinq minutes, mais je pars sur une demi-heure, tranquille, je peux même faire autre chose en attendant. Je l'appelle, il répond à la première sonnerie, il dit ouais gros j'suis là là, j'arrive dans une seconde, à tout de suite gros, et il raccroche.

Mon père a besoin d'une plaquette, cent grammes. C'est beaucoup pour un consommateur, mais ça lui permet d'être peinard pour un moment. Quand je dois acheter du shit pour moi je vais chez Ixe, il y en a toujours. Mais puisque mon père veut rester fidèle à Untel, et qu'il aime bien le recevoir à la maison, je dois me le coltiner et le relancer sans arrêt. Les dealers savent qu'on attend après eux, ils ont le contrôle de la zone d'incertitude. Quand ils en profitent comme Untel, ça fait de nous des pauvres connards en manque pendus à leur téléphone. Tant qu'on en a on clame à qui veut l'entendre qu'on pourrait très bien s'en passer, et puis quand on n'en a plus, c'est autre chose. Ça donne envie de harceler. Untel, ce n'est pas le genre qui se met en quatre. C'est un furtif. Pourtant, je sais qu'il fait des efforts pour mon père, parce qu'il le respecte, alors je n'imagine même pas ce que ce serait si j'étais un client lambda. Au moins, il m'arrange sur le prix. Je le laisse se démerder avec ses comptes, je ne demande aucun traitement de faveur. Juste qu'il vienne quand il dit qu'il vient.

Ah bah le v'là, ça cogne à la porte, je reconnais sa façon de frapper. Mains jointes aux pouces, la bise, tape sur l'épaule, bien ou quoi, hey t'es mignon Jonas, p'tit col V cintré et tout, t'as vu ça je dis, j'suis soin, vas-y entre y a mon père dans le jardin. Il me fait hey scuse j'avais une galère là y a des gars ils font des trucs pas nets, et je dis ah ouais, t'es dans des histoires encore, et il dit mais non tranquille t'as vu y a rien, et il rigole. On traverse le salon et on arrive dehors, mon père est sur la terrasse il se lève, salut Samuel, comment vas-tu, et Untel lui répond salut Daron, ça va bien. Ils se serrent la main. Assieds-toi assieds-toi, vire le chat, tiens Jonas vire le chat pour que Samuel il puisse s'asseoir, tu veux boire un truc ? Ah bah si tu fais du café j'veux bien du café, dit Untel. Un café, ok, et il me regarde, et je dis ok alors, je vais faire du café.

Untel tapote sa clope sur le coin de la table pour faire un marocco. On est bien sur la terrasse, couverts par le mur du garage du voisin. Le parasol et le cerisier nous font de l'ombre. Quand j'apporte le café Untel a posé sur la table une plaquette qui, vue d'ici, m'a l'air bien jaune. Celui-là il est patate il dit. Je ne l'ai jamais entendu faire autre chose que vanter son produit. C'est juste les termes qui varient. Naturel, pour un commerçant.

Même si je n'aime pas trop ça moi, être traité comme un client. Quand je m'assois après avoir posé le plateau, je dis qu'il est bien jaune ce shit. Untel m'invite à rouler un joint pour que je constate sa puissance. Calme-toi je lui dis. Il a cette manière, Untel, de s'insurger dès qu'on dit quelque chose. Encore que, jaune, ce n'est pas une insulte pour du pilon. En bon vendeur il connaît mes goûts. Shit noir et alcool blanc. Mon père tend le bras pour prendre sa boîte qui est au bout de la table et il en sort sa lame de cutter. Après avoir chauffé le morceau, il coupe une fine lamelle et l'effrite entre son pouce et son majeur. En tout cas il est bien gras, il dit, il fait pas du sable tu sais, comme ça le fait des fois. Moi je répète qu'il est bien jaune. Il sent l'épice. Bon t'es en train de dire quoi là Jonas, que mon teuchi c'est de la merde ? Et je dis non, je dis juste qu'il est bien jaune.

Ce jardin serait vraiment paisible s'il n'y avait pas ces putains de bagnoles. Il est profond de vingt-cinq mètres environ. Il y a un mur au fond, et derrière, une route nationale. C'est une longue ligne droite jusqu'à la gare. Certains en profitent pour taper une pointe, on les entend. Le pire, ce sont les motards. Quand ils passent derrière la maison ils sont en pleine accélération, grâce au rond-point situé une centaine de mètres en amont, d'où ils s'élancent. C'est assourdissant. Mon père dit souvent qu'un jour il va se placer sur le mur du fond avec un fusil à lunette, et qu'il en dégommera un. Ça calmera les autres. On entendra parler du sniper de la N7. Untel, lui, il aime bien entendre les moteurs, parce que souvent il arrive à dire quel genre de modèle c'est. Il a traîné avec les mecs à scooter quand il grattait les plans de Lahuiss.

Il en a appris un rayon sur la mécanique. Sucré, Ixe et moi, et puis Lahuiss aussi, ce n'était pas notre délire. On en a surtout retenu une notion de carbu de douze. Pour se foutre de leur gueule, Sucré, quand il entendait un scooter passer, il faisait chut les gars, il tendait l'oreille et l'index, et il disait un truc du genre Kawasaki de couleur verte.

Untel demande à mon père comment il est le bédo, t'as vu il est bon hein, tu sens la fleur, et mon père a l'air surpris par la question, genre pris de court, il dit oui, oui oui il est bon, tout en haussant les épaules et en levant les sourcils, parce qu'en fait il en sait que dalle, il n'a même pas fait attention, il a juste roulé un spliff et il est en train de le fumer. Sur les deux lattes qu'il tire ensuite il se concentre un peu plus, et puis il finit par dire que oui, oui il est pas mal. Untel se tourne vers moi et il dit mais Jonas, tu sais pas toi, et ça y est il me fait sa spéciale, il me balance des dossiers. Untel il connaît la vie de tout le monde. La daronne du 22, la mère de la p'tite Cathy, elle trompe son mari avec le cousin du mec qui travaille chez Garcia, tu sais le type qui a la R6 là, non Untel je vois pas ça me parle pas ces trucs-là tu sais très bien, et lui il fait mais si le Portugais là, qui sortait avec la p'tite Lolita là, ah ouais le bouffon qui met sa musique fort quand il passe en ville, voilà, lui. Ah ouais carrément je dis, mais Untel il continue, ouais Jonas j'te jure je l'ai grillée, chaque fois j'passe là-bas y a sa voiture. Et sa fille, j'parle de la p'tite Cathy hein, qu'on l'a vue toute petite et tout, elle a quatorze ans elle suce des bites frère, j'te jure, tu sais les p'tits gitans qui viennent pêcher dans la mare, carrément la dernière fois ils l'ont emmenée aux Quatre Arbres, elle les a tous sucés sur la tête de ma mère j'les ai grillés. Je lui dis mais t'es un ouf qu'est-ce tu racontes, et il dit mais j'te dis que c'est des cassos' dans cette famille, le père il traîne tout le temps au bar du Napolitain là, à se mettre des mines, la mère c'est une pétasse et la fille c'est la même. Le p'tit Jason là, son p'tit frère, il traîne vite fait dehors parce qu'il est p'tit encore, mais t'inquiète, d'ici trois-quatre ans il va faire des dingueries comme sa sœur lui aussi, tu vas voir il va fumer des gros spliffs et jeter des cailloux sur les voitures, ah ouais, et là Untel il se met à rire de son rire aigu, c'en est un autre qu'il a, et celui-ci me fait sourire. Mon père, lui, a plutôt l'air de ne pas écouter ce qu'on dit.

Après m'avoir renseigné sur la bagarre qu'il y a eu à la boîte samedi dernier, un cambriolage qui a failli mal tourner et un règlement de comptes avec des gars de je ne sais plus où, ainsi que sur la grossesse d'Amandine, une voisine à nous, sur Steve, un pote à nous du collège qui faisait du kung-fu et qui est devenu cascadeur, il secoue la tête en soupirant, et puis il se tait. Il y a un camion qui passe, mon père regarde la pelouse. Quelques oiseaux dans les arbres, bavards. Le bruit des voitures, si on se tire les cheveux, ça peut faire penser à la mer. Faut tirer fort.

C'est vrai qu'il est pas mal son shit. J'ai le spliff éteint entre les doigts, à ce stade il y en a qui l'auraient jeté déjà, mais pour moi il y a au moins quatre barres encore, à l'aise. La dernière elle brûle les doigts. Untel me demande alors Jonas, c'est quoi les projets là, et mon père fait une moue en haussant les sourcils, c'est furtif mais je le vois. Je dis je sais pas, il répond comment ça tu sais pas, et je dis vas-y commence pas à m'emmerder. Il se redresse sur sa chaise, il dit mais gros, quand même, faut que tu fasses quelque chose là, tu peux pas rester là-dessus, et je me passe la main sur les yeux. Je n'aime pas trop comment ça part. Dans la mare devant chez nous il y a des grenouilles, et en cette saison elles chantent l'après-midi. Je les entends au loin, je voudrais pouvoir les écouter. Je dis à Untel écoute les grenouilles, tu les entends, le voilà mon projet, je vais me rouler un gros oinj et puis je vais aller m'asseoir au bord de la mare, et je vais écouter les grenouilles. Untel embraie, et avec un petit rictus il dit t'sais quoi Jonas, dans la vie t'es comme dans le ring, tu fais que d'esquiver. Mon père acquiesce. Je ricane pour faire comme si ça me faisait rire.

Untel se met à partir dans un délire où il m'explique que s'il était boxeur il aurait forcément l'ambition de devenir champion du monde. Je lui réponds qu'il ne se rend pas compte des conneries qu'il raconte, les sacrifices que ça demande, mais lui il ne lâche pas l'affaire. Je lui demande s'il compte monter une multinationale pour vendre son shit, et sans même capter mon ironie il me répond oui, tout net. Je rigole. Je lui explique que je ne veux pas me détruire la santé, parce qu'à mon niveau c'est tout ce qu'on récolte, et lui il fait bah ouais Jonas, et moi un jour j'irai en prison. Mon père se met dans la conversation en me demandant ce qu'en dit le vieux. Le vieux il veut me faire boxer, c'est tout. Au plus haut niveau, bien sûr. Parce que ce n'est pas lui qui prend les coups. Il sait ce que c'est que d'en prendre, mais on a beau savoir on oublie. Le souvenir d'un coup reçu ce n'est rien, ça passe. Le corps s'en rappelle, il le porte en lui. Stigmate. Untel rallume son joint sans tirer dessus, ça fait une grosse flamme sur le foyer. Je sais très bien où ils veulent en venir, où ils veulent m'emmener. Ils croient que je ne les vois pas arriver. Untel se met à m'expliquer que la vie c'est comme être sur un bateau en pleine mer. Sans cap, on dérive. Je l'accuse de pomper les idées de Lahuiss, genre ça vient de toi ça, et il fait ouais j'te jure Jonas, crois pas, j'suis moins con que j'en ai l'air. Je lui dis que moi, sur un bateau en pleine mer, je regarde juste la prochaine vague, et m'applique à ce qu'elle ne me fasse pas chavirer. Il dit que ce qui compte ce n'est pas la destination mais le voyage, et je lui réponds d'aller se faire foutre avec ses phrases trouvées par terre. Essaie pas de me refiler ta philo à deux balles pour les rastas blancs à qui tu vends de la terre. Mon père, jusqu'ici silencieux et manifestement peu concerné, finit par décrocher la mâchoire après avoir écrasé son joint dans le cendrier. Jonas, tu te plantes, toi t'es pas en pleine mer sur ton bateau. Toi, tu longes la côte.

Quand les grenouilles chantent, on dirait toujours qu'il y en a une qui commande aux autres. Au milieu de ces chants, une voix semble s'élever au-dessus du brouhaha, comme un délégué syndical qui braillerait dans un mégaphone pour que la masse reprenne ses propos à l'unisson. Le bruit assourdissant d'une voiture au moteur trafiqué vient couvrir la chorale. Je tends le bras vers le cendrier comme si j'allais y trouver un joint, mais il n'y en a pas, je l'ai écrasé tout à l'heure, alors je prends une clope dans le paquet de mon père. Untel me propose son aide pour me reprendre en main, donner une nouvelle dynamique à ma carrière, il dit. Je lui réponds que

j'aimerais bien prendre ma revanche contre Kerbachi,
que je devrais en parler à monsieur Pierrot. Il m'encourage, il dit c'est bien ça Jonas, et mon père regarde ailleurs. Il a basculé sa tête en arrière pour attraper un
rayon de soleil, et il a fermé les yeux.

Virgule

Il aime bien faire des suspenses pour rien. Allez Poto, retourne-la ta carte, de toute façon pour moi c'est râpé, je la gagnerai pas celle-là. Il pose son doigt dessus et me regarde avec le genre de rictus qui célèbre une victoire à l'avance. Il veut que ça me foute la rage alors que je l'ai déjà. Jonas, à ce jeu j'te nique. Retourne ta carte. Il la retourne. C'est un 2. Il gagne, ce fils de pute.

Popopopoh, eh ouais mon pote tiens j't'ai niqué ta race t'as la haine vas-y dis-le. Il gesticule, il me fait des doigts, et il me traite de pédé avec un flow R'nB. Je soupire longuement, parce que oui c'est vrai, je l'ai mauvaise, c'est fou la chance qu'il a cet enfant. Bah vas-y t'as gagné le droit de mélanger les cartes, que je dis en balançant les miennes, et puis je décrète qu'on la fait en cinq, premier à cinq victoires. Poto dit vas-y.

Romain arrive de notre côté et passe la tête par-dessus Poto. Il nous demande si tout va bien, si on a besoin de quelque chose. On dirait un serveur qui s'assure un pourboire. Je lui dis que je n'ai besoin de rien, que c'est gentil, qu'on est bien reçu chez lui. Il me demande t'es sûr et je dis oui. Poto, lui, demande s'il a du Coca, et si oui s'il est frais, et que pendant qu'il y est s'il peut lui ramener un cendrier ce serait bien s'il lui plaît, vu que là on se sert d'un paquet de clopes vide déchiré et qu'on en fout partout. Romain s'exécute et on lui dit merci gros. J'ajoute finalement je veux bien un Coca moi aussi.

De l'autre côté de la pièce, assis sur les canapés, il y a Habib en train d'essayer de convaincre Untel d'acheter un lot de voitures cassées. Ils les apporteraient ensuite au Portugal où les pièces et la main-d'œuvre ça coûte que dalle, et comme ça ils les réparent pour pas cher avant de revenir ici les vendre au prix fort. L'usage de fausses cartes grises et la réinitialisation des compteurs font éventuellement partie du plan, faut voir avec Cacheton. Untel n'a pas l'air d'en avoir grand-chose à foutre, puisqu'il relance sans arrêt Ixe en lui disant vas-y j'te prends un kilo de ta weed et je t'écoule ça vite fait, mais Ixe il dit non, arrête de m'emmerder avec ça, et ça le détourne de sa conversation avec Lahuiss qui lui raconte en détail comment il a baisé une meuf la veille.

Je n'ai pas les cartes avec moi aujourd'hui. D'autant plus que là on joue à un jeu pour lequel on reconnaît entre nous qu'il nécessite une sacrée dose de chance. Celle qu'on n'a pas dans la vie, on la surine aux cartes. Je mange un cinq à un, sans appel. Poto il a touché tout ce qu'il a voulu. Il termine la partie en me chambrant genre il me nique à ce jeu, et je lui dis t'as de la chatte cousin, t'as une chatte comme ça, et je fais un triangle avec mes mains sans que mes doigts se touchent, et vraiment on la sent la grosse teucha dans mon geste, on sent comment j'ai l'seum.

Je me lève et me dirige vers les canapés, et puis je tends le bras vers Ixe en lui disant fais fumer vite fait s'te plaît. Je tire deux lattes rapprochées, ça fait du bien. Je retourne m'asseoir près de Poto et je lui dis que ça fait longtemps qu'il ne nous a pas chanté un texte. On lui demande souvent pourquoi il n'essaie pas de percer dans la musique, et lui il répond qu'il ne veut pas être connu. Ce genre de maquisard. Sa façon à lui d'être un gars de chez nous. Réussir c'est trahir. En plus, comme il dit, dans la musique faut baisser son froc et sucer des bites. Ce n'est pas le genre de projet auquel il adhère. Il dit que justement il a un texte sous le bras. Je dis vas-y balance, et il est déjà en train de bouger la tête l'autre. Il sort de la poche arrière de son pantalon un papier plié en quatre et le pose sur la table. Il se racle la gorge, on se tait.

Du bout d'ma plume / j'écris ma douleur / Besoin d'évasion vos promesses j'en ai pas vu la couleur / Rien n'est acquis / retiens bien / tout s'termine avant l'heure / On fait aller / dur de remonter la pente sur des rollers / J'ai l'cœur froid comme un corps sans âme / Arrête de chercher bâtard t'auras pas d'pomme sans arbre / C'est soit t'es fort / soit t'es faible / comme un keuf sans arme / On a perdu tout sentiment mais y a pas de mort sans larmes / Attristé / par les événements qui préviennent pas / N'attends pas que le destin frappe vas-y réveille-toi / J'ai l'impression d'avoir tout raté / j'passe mon temps à regretter / Y a tellement de jours où j'aimerais tout casser / Bah ouais j'suis pas d'humeur / et plutôt sous pression / Toujours un œil ouvert pour trouver des réponses à mes questions / Tu sais / que j'm'efforce de chasser mes démons / Si j'me laissais aller y aurait longtemps qu'j'aurais quitté ce monde.

Il y a des si si gros qui fusent d'un peu tous les côtés. Ah ouais je dis, y a des bonnes phases, j'aime bien celle avec les rollers là. Il dit mouais, j'aime bien le chanter j'avoue, mais bon voilà quoi, c'est comme d'hab t'as vu, et il pose le papier sur la table. C'est pas gai ton texte, dit Lahuiss, tandis qu'Untel ironise sur les rappeurs qui se plaignent tout le temps. Moi j'aime bien ses textes, ils me touchent. Ça m'arrive de m'y reconnaître. J'ai le sentiment d'apprendre des choses de lui. Il n'y a que là qu'il s'exprime. Je suis certain qu'on pourrait avoir plein de conversations sérieuses. Mais ce n'est pas tellement quelque chose qui se fait, entre nous. Et surtout pas devant les autres. Dans ces ambiances, dès qu'il y en a un qui se met à parler de ses problèmes, il y en a un autre pour trouver que ce n'est pas marrant ce qu'il raconte, et puis ça passe à autre chose. Ou alors on fait des blagues dessus. Ça ne court pas les rues les oreilles. Pourtant, il paraît qu'il y en a plein les murs. Et à force qu'on les tienne ils doivent en savoir des trucs. Mais ils ne doivent pas s'en souvenir parce qu'ils sont trop foncedés les pauvres.

Alors que ça parle dans tous les sens autour de moi, par curiosité je prends le papier sur lequel Poto a écrit son texte. Deux choses me frappent lorsque je regarde la feuille. D'abord, il n'y a pas la moindre rature, comme si ça lui était venu d'une traite. Et puis, surtout, il y a tellement de fautes d'orthographe que j'ai du mal à lire ce qui est écrit. Je lui dis hey Poto, c'est hardcore comment t'écris, on comprend rien. Il m'arrache le papier des mains, et en voyant ça Ixe me questionne, qu'est-ce tu dis Jonas?, et je fais les gars, Poto il écrit des bons trucs

hein, mais il sait pas écrire le mec! Chacun demande
à voir le papier, vas-y fais voir Poto, et lui a l'air de se
recroqueviller en lui-même, allez vous faire foutre wesh,
et moi je rigole, je dis les gars vous devez voir ça c'est
unique. Poto se défend en disant qu'il est sûr que parmi
nous il doit y avoir pire que lui, et Habib est le premier
à rallier sa cause, moi les gars j'suis sûr que j'fais plus
de fautes que lui, ma parole j'fais trop de fautes moi,
t'inquiète Poto j'suis avec toi. Ça devient carrément caco-
phonique là-dedans, et après quelques minutes l'heure
n'est plus à la moquerie mais à la surenchère, chacun y
allant de son moi j'avais des notes de merde en français
quand j'étais p'tit. Lahuiss, au début, ne dit rien, et puis
il se lève, appelle au calme par un ooooh oh! fermez-la
bande de cons, j'ai une idée moi, on va vite la régler cette
histoire. C'est quoi ton idée Lahuiss. Et Lahuiss il dit,
venez les gars on fait une dictée.

Chacun s'est mis à rouler un joint. À croire que ça
pourrait nous aider. Romain fait des allers-retours inces-
sants à la recherche de feuilles vierges et de stylos qui
fonctionnent. Lahuiss n'en revient pas qu'on ait tous
accepté, il pensait faire un bide avec sa proposition.
J'entends Ixe dire que personne ne fera plus de fautes
que lui, et je lui rappelle qu'il a un sacré client en la personne de Poto dont j'ai vu le texte. Habib dit cherchez
pas les gars j'vous nique à ce jeu. Lahuiss trimballe toujours avec lui un cahier dans lequel il note des passages
des bouquins qu'il lit. Je lui demande s'il n'aurait pas
l'extrait de Voltaire dont il nous avait parlé la dernière
fois, avec les histoires de jardin et tout ça, mais il dit non,
puis annonce qu'il va nous dicter trois extraits d'un livre

écrit par une femme qui s'appelle Céline je crois, enfin c'est ce que j'ai cru entendre parce que ce n'est pas facile de l'écouter avec tous les autres qui demandent quel jour on est, pour mettre la date en haut à gauche de la feuille, et ceux qui râlent parce que leur stylo n'écrit pas bien. Untel demande wesh, c'est qui celle-là, et Lahuiss lui répond qu'il s'agit d'un homme, ce qui fait dire à Poto vas-y c'est quoi comme gars bizarre ça encore.

Lahuiss a ouvert son cahier et demande si tout le monde est prêt. Il est debout devant l'écran qu'on a éteint. On s'est dispersés dans la pièce pour éviter les copieurs, même si moi je suis juste à côté de Ixe. La feuille, notre nom en haut à gauche, la date, le stylo dressé, ce silence juste avant que le prof commence à dicter. Lahuiss donne des consignes mais on ne l'écoute plus. Dicte, bordel de merde.

Pour la première fois... pour la première fois... un être humain s'intéressait à moi... un être humain s'intéressait à moi... Oh Lahuiss y a une virgule après première fois ? Habib, j'ai dit virgule ? Tu m'as entendu dire le mot virgule ? Non, donc pas de virgule si je dis pas virgule. Par contre là oui, virgule... du dedans si j'ose le dire... Houla attends j'suis perdu dit Ixe, pour la première fois quoi ? Ah t'en es là toi !? Pour la première fois virgule, heu non pas virgule qu'est-ce que j'dis moi, pour la première fois... Bon alors virgule ou pas virgule demande Untel, pas virgule putain répond Lahuiss, pour la première fois un être humain s'intéressait à moi virgule, c'est bon là !? La plupart disent ouais ouais sauf Ixe qui se presse. Lahuiss reprend. Pour la première fois un être humain s'intéressait à moi virgule... du dedans si j'ose le dire… du dedans… si j'ose le dire… virgule… Untel lève la tête, s'intéressait ça finit en -ez ça j'crois. Mais nan dit Habib, allez vas-y en fait t'es plus nul que moi toi j'suis sûr, et Lahuiss s'énerve, mais fermez vos gueules wesh vous faites quoi là !? Moi je rigole avec Ixe qui ne peut pas s'empêcher de jeter un œil sur ma feuille. Personnellement le début ne me pose pas trop de difficultés, même si j'ai hésité à mettre deux r au mot s'intéressait. Lahuiss reprend. Pour la première fois un être humain s'intéressait à moi virgule… du dedans si j'ose le dire… virgule… C'est bon vous en êtes tous là ? On dit oui. Virgule donc… à mon égoïsme virgule… Ah ouais ok ça devient chaud dit Poto du bout de la pièce. J'entends Habib dire qu'il doit y avoir un h quelque part et ça me fout le doute, moi qui hésite entre un i tréma et un accent circonflexe, et j'essaie de me souvenir de la règle, sauf que je n'arrive même pas à déterminer s'il y en a une qui existe. Romain dit que c'est bizarre ça, de dire du dedans, que ça aurait certainement été plus correct de dire de l'intérieur, et Lahuiss fait chut avec ses lèvres et on dirait vraiment un prof, avec sa chemise et sa manière de déambuler pendant qu'il dicte. Il n'y a que le joint qu'il a dans la main qui n'est pas tout à fait raccord. À mon égoïsme virgule… se mettait à ma place à moi… se mettait à ma place à moi… J'entends Ixe dire putain je comprends rien à c'que j'écris, et Lahuiss lui répondre concentre-toi putain, et derrière Romain faire bon alors on peut avoir la suite ou quoi, il est lent le prof, et Lahuiss qui lui répond qu'avec un comportement pareil il va se faire sacquer au conseil de classe. Se mettait à ma place à moi… et pas seulement me jugeait de la sienne, virgule… Ma parole Lahuiss on dirait il a fait ça toute sa vie rigole Untel, qui ajoute qu'il ne devrait pas trop prendre le rôle au sérieux sinon ça va leur donner envie de lui jeter des boules de papier, une règle, un compas. Lahuiss élude le propos, j'ai le stylo vissé dans la paume, j'attends. J'ai l'impression que je n'ai fait aucune faute. Lahuiss dicte. Et pas seulement me jugeait de la sienne virgule… comme tous les autres… point… comme tous les autres, point. Et pas seulement quoi ? demande Ixe, et pas seulement me jugeait de la sienne… me jugeait de la sienne… Ma parole Ixe tu dois être dyslexique ou un truc comme ça. Vas-y Habib tais-toi sérieux je sais plus où j'en suis, me jugeait de quoi ? On rigole et derrière il y a Poto qui demande et pas seulement quoi ?

Après qu'il a dit point pour la dernière fois on se redresse. Ça rigole et ça hausse les sourcils. Untel me regarde et il roule des yeux genre c'est chaud pour sa gueule. Ixe me fait rire en disant qu'heureusement que cette copie-là il ne va pas avoir à la ramener à ses parents. Lahuiss dit qu'il n'y a pas assez pour nous départager, il faut qu'on s'y remette. On lui dit calme, moi je pose le crayon et je le remplace dans ma main par le joint que j'avais laissé dans le cendrier. Untel se rappelle qu'il a mis une brique de jus d'ananas dans le frigo. Romain va aux toilettes. Poto peste contre son stylo qui marche mal, il dit que ça va lui faire faire des fautes parce qu'il ne voit pas ce qu'il écrit. Habib lui dit wesh. Lahuiss nous invite à nous relire, voir si on n'a pas oublié des mots, et Ixe lui dit attends t'as cru on était des cassos ou quoi, ce à quoi Lahuiss répond ouais grave, et on rigole. Je me relis. Pour la première fois un être humain s'intéressait

à moi, du dedans si j'ose le dire, à mon égoïsme, se mettait à ma place à moi, et pas seulement me jugeait de la
sienne, comme tous les autres.

Chacun a repris sa place. Lahuiss est devant l'écran,
debout avec son cahier, Habib est à sa gauche sur le premier canapé avec Untel qui se dépêche de lécher le collant. Ixe regarde sa feuille, il m'envoie une grimace, sorte
d'onomatopée faciale, pour dire que c'est chaud. Moi je
suis concentré, je m'amuse bien. Derrière, sur la grande
table, Romain essaie d'éviter que Poto ne lui vole son
stylo parce qu'il écrit mieux.

Les conversations s'établissaient difficilement... les
conversations... s'établissaient... difficilement... putain
les gars je sens que s'établissaient il y en a pas un qui va
l'écrire correctement, et il rigole Lahuiss en le disant,
ça doit vouloir dire qu'il y a un piège quelque part, mais
je ne saurais pas dire où. S'établissaient difficilement...
entre les clients en attente, point. Les conversations...
s'établissaient... difficilement... entre les clients... en
attente... point. Ah vous êtes concentrés là hein. Ta
gueule. La douleur s'étale... Attends attends, j'en suis à
clients dit Ixe. Mais t'es lent toi c'est un truc de ouf dit
Habib, et Poto lui lance un vas-y ferme ta gueule moi
aussi j'en suis à clients et alors ça fait quoi ? Oh commencez même pas à vous embrouiller là vous allez m'soû-
ler dit Untel, qui vient de faire une grosse rature sur sa
feuille. C'est bon les gars je reprends intervient Lahuiss,
entre les clients en attente, point. En attente... point.
C'est bon les gars ? Moi je dis oui, Poto insulte la mère
de son stylo, Untel rallume son spliff, Habib regarde sa
feuille vite fait il ne voit pas que je l'ai grillé. Romain dit

ouais les gars si vous êtes si lents c'est parce que vous faites plein de fautes, et ils sont plusieurs à lui dire de fermer sa gueule, et ça fait comme un brouhaha par-dessus lequel Lahuiss essaie de se faire entendre.

La douleur s'étale virgule… La douleur s'étale, virgule… La… douleur… s'étale… virgule… Vas-y Lahuiss abuse pas non plus je dis, et lui se défend en disant que ce n'est pas sa faute s'il doit s'adapter aux cancres qu'il a sous le nez. C'est bon les gars j'peux poursuivre ? Oui. Alors, s'étale virgule… tandis que le plaisir… tandis que le plaisir… Le mot tandis, je sais que parfois on ne prononce pas le s à la fin, et là Lahuiss vient de le faire, et ça fait lever le menton d'Untel, qui répète le mot en prononçant le s, tandis, comment ça tandis, ça veut rien dire ça, ça existe pas comme mot c'est chelou. Habib le relaie et puis Poto, oh Lahuiss c'est bizarre ton mot là, t'es sûr que tu le prononces comme il faut ?, et Lahuiss ça l'énerve même s'il rigole en même temps, et il dit non mais d'où vous avez cru que vous alliez me donner des leçons de français wesh, tandis c'est tandis c'est tout, commencez pas à faire genre vous l'utilisez dans la vie, d'autant plus que je vous donne un indice en le prononçant comme ça alors commencez pas à gueuler. Il y a comme un temps mort, Ixe en profite pour regarder ma feuille, je tire une latte sur le joint. Lahuiss reprend la dictée, tandis que le plaisir donc, tandis que le plaisir… et la nécessité… tandis que le plaisir et la nécessité… Oh il est passé où le donc demande Habib. Quel donc ? Bah t'as dit le plaisir donc, à l'instant ! Putain mais j'ai dit donc pour reprendre quoi, c'est une façon de parler ! Ouais bah fais gaffe quoi, t'es en train de dicter, moi

j'écris c'que tu dis, j'connais pas l'texte moi ! Et si je dis
le plaisir de ta mère la pute tu vas croire que c'est dans
le texte ? Hey reste tranquille Lahuiss. Oh mais fermez
vos gueules là hurle Ixe, moi j'en suis à plaisir, c'est quoi
après ? Oh putain vous êtes relous les gars, elle part en
couilles la dictée là, je dis.

On en était où demande Lahuiss, tandis que le plaisir
et la nécessité je dis, et Poto il lui manquait le mot nécessité. Lahuiss reprend. Je disais donc, et là seulement je
reprends le fil de la dictée Habib, le plaisir et la nécessité… et la nécessité… ont des hontes… et la nécessité…
ont des hontes… point. Le plaisir et la nécessité ont des
hontes, point. Ah d'accord il restait trois mots en fait.
Lahuiss propose une nouvelle citation mais Ixe dit vas-y
c'est bon là. Il insiste, il dit que la dernière il l'a gardée
au chaud exprès pour nous. Untel dit qu'il n'a qu'à nous
la lire ça suffira, et Ixe dit ouais vas-y lis-la d'abord et on
va te dire nous. Lahuiss reprend son cahier, tourne une
page, puis lit. Il y a trois secondes de silence, coupées par
Poto qui dit que rien qu'à cause du mot irrémédiable il
n'a pas envie de l'écrire. Ixe est perplexe, et il demande à
Lahuiss de répéter, ce qu'il fait. On devient rapidement
vieux, et de façon irrémédiable encore. On s'en aperçoit
à la manière qu'on a d'aimer son malheur malgré soi.

Lahuiss n'a même pas le temps de relever la tête de
son cahier que Ixe, sourcils froncés, l'invective, il fait
oh Lahuiss pourquoi tu dis qu'elle est pour nous celle-
là ? Je le regarde. On est souvent agressifs entre nous, à
s'insulter dans tous les sens, mais quand c'est sérieux on
le reconnaît tout de suite. Là c'est sérieux. Un silence.
Tu veux nous faire comprendre quoi Lahuiss ? C'est quoi

le fond de ta pensée ? Ixe parle assez posément mais je reste alerte. Lahuiss ne sait pas trop où se mettre, je le guette vite fait mais je suis surtout sur Ixe. Ça va qu'il y a la table basse entre eux, il ne peut pas faire un truc pour lequel je n'aurais pas le temps de réagir. Lahuiss bafouille, on essaie de calmer, on dit oh ça va y a rien, mais Ixe continue de fixer Lahuiss qui dit qu'il s'excuse, qu'il ne voulait pas dire ça en mal. Untel le défend en disant que ce n'est pas de sa faute, il s'est embourgeoisé ça fait de lui un trou de balle, laissez-le dans son délire il va bientôt redescendre. Ixe pointe son doigt vers Lahuiss, il dit fais pas le malin Lahuiss, moi j'suis pas tes potes avec qui tu traînes, t'as quelque chose à dire vas-y, mais fais pas des trucs comme ça genre tu tournes autour du pot, et après avoir tiré sur le premier joint qu'il a trouvé dans un cendard, dans un silence de plomb, il s'anime un peu et je me rapproche, il lance bah du coup vas-y maintenant, vas-y, dis-nous comment on est des vieux, comment on aime notre malheur ou je sais plus quoi là, vas-y, j't'écoute. Quand Ixe s'énerve on ne s'interpose pas trop, alors on regarde Lahuiss se prendre un coup de pression. En allumant une clope il dit laisse tomber, c'est juste que quand j'ai entendu le texte de Poto tout à l'heure bah ça m'a fait penser à ça, c'est tout, ça va pas plus loin, et il cendre. Poto va dans le sens de Lahuiss, en disant qu'il comprend ce qu'il veut dire, et Ixe, qui a commencé à effriter un bout de shit, dit ouais bah parlez pour vous, je suis pas dépressif moi.

Ixe c'est le seul mec que je connais qui peut rouler un joint en moins de deux minutes. Pour que j'en fasse autant il me faudrait un flingue sur la tempe. Sa colère n'est pas encore passée quand il tasse le spliff tout juste roulé, je le vois à sa manière de regarder le sol. Il est soit en train d'avoir des flashs de ce qu'il ferait à Lahuiss s'il décidait de se lâcher, soit il se rend compte que la vérité vient de lui péter à la gueule. Les autres sont passés à autre chose, Lahuiss ramasse les copies. Ixe a donné la sienne en signe d'apaisement. Je le surveille du coin de l'œil. Je regarde ce mec qui passe sa vie à me dire qu'il veut en changer se braquer quand on le dit à sa place. Sûrement parce que ça vient de Lahuiss. Il ne reste que le repli. Le stigmate érigé en emblème. C'est pour ça que je suis aussi proche de Ixe, c'est parce qu'il me rassure. Je me dis que s'il peut vivre avec ça, alors peut-être que je le peux aussi.

Lahuiss corrige les copies. Il annonce qu'il n'y a pas de barème, ça se jouera au nombre de fautes. Il commence par la copie de Romain, qui a fait un bon score, quatre fautes seulement. Lahuiss le félicite parce qu'il a su écrire égoïsme, contrairement à moi. J'avais eu raison d'opter pour le i tréma, sauf que j'ai pas mis d'accent aigu sur le e. J'ai d'ailleurs fait la même faute d'accent à nécessité, oubliant de le mettre sur le premier e. Au final je m'en sors avec deux fautes seulement, deux accents, et ça commence à chuchoter derrière, j'entends Poto qui dit ah ouais Jonas il cache bien son jeu en fait. Untel et Habib se tirent la bourre, avec dix et onze fautes. Poto recueille la palme de l'improbable à ce stade de la correction avec ègohism. Lahuiss l'accuse de se foutre de la gueule du monde, et il se défend tant bien que mal, la faute à Habib qui a parlé d'un h. Puis vient la copie de Ixe.

Pour la première fois, un n'etre umain s'unteresset a moi, du dedans si j'ose le dire, à mon negoisme, ce métè t'as ma plasse a moi, et pas seulement me jugeait de la sienne, comme tou les otre. Les conversacion s'esttablissai dificileman entre les clients en atante. La douleur c'est tale, tandis que le plaisir et la necessité ont des hontes.

Seuls Lahuiss et moi avons regardé sa copie. J'arrive à repérer exactement les moments où il a copié. Lahuiss non plus il n'est pas dupe, mais je l'entends annoncer quatorze fautes, ce qui consacre Poto comme le cancre en chef avec seize fautes, alors que c'est celui d'entre nous qui écrit le plus. Ixe est le premier à se jeter sur l'aubaine, j't'ai niqué ta race, et il arrive à esquiver le moment où Habib demande à voir sa feuille en disant que Lahuiss ne peut pas s'être trompé dans la correction. Moi-même je rigole en chambrant Poto et lui il me dit qu'est-ce t'as toi le premier de la classe, vas-y t'es un traître. Pendant ce temps je me penche vers Ixe, pointe sa feuille du doigt et lui dis mec, la douleur c'est tale, t'es sérieux là ? Il rigole en me disant que je suis un bâtard parce qu'à cause de moi il a fait une faute à nécessité.

Quatrième joint de la soirée. Je suis resté seul avec Lahuiss du côté de la table basse. Je lui demande, c'est qui déjà qui a écrit ce que tu nous as dicté ? Il répond Céline. C'est pas mal, je dis. Ah, ça te parle à toi ?, parce que ça n'a pas l'air de parler à grand monde ici, il dit d'un ton laconique. Il cendre trois fois sans avoir tiré sur sa clope. Je réfléchis un instant, je rallume mon joint. Et c'est quoi son livre le plus connu je demande, il me répond que ça s'appelle *Voyage au bout de la nuit*, et je répète le titre à voix basse.

Derrière, j'entends Ixe crier les gars, Pablo.

Éponyme and Clyde

C'est un peu à l'écart de la ville, vers l'ouest, au pied de la colline. Ça fait comme un petit parking qui hésite entre l'étendue d'herbe et la plaque de terre. Il y a un vieux lampadaire contre lequel je pose ma bicyclette et puis l'attache, l'antivol fait le tour du poteau, passe dans la roue avant puis vient se cadenasser à hauteur du cadre, sous le guidon. Je mets la clé dans ma poche et m'éloigne après avoir caressé la selle.

Il y a un chemin qui court entre un mur d'enceinte et un grillage au-delà duquel s'étend un pré. Au loin on voit l'autoroute, on l'entend un peu. Au bout du chemin, la maison, gros bloc de pierres incrustées, cubique. Grande. Pas très jolie. Sur la droite on aperçoit le jardin, sans plantes, et la grange au fond. C'est un peu le bordel mais ça a son charme. Je n'ai jamais mis les pieds dans ce jardin.

J'arrive devant la porte et elle est ouverte, comme d'habitude. Je suis un peu en avance, je m'en rends compte car en m'avançant vers le séjour j'entends la douche couler. La pièce est très claire, des baies vitrées orientées sud-est et des rideaux blancs. À 11 heures on est bons. Surtout un jour comme celui-ci où il n'y a pas un nuage. Le séjour donne sur la cuisine où je ne suis jamais entré. C'est équipé. J'ouvre le frigo pour voir s'il n'y a pas une boisson sucrée à taper au goulot. Ces gens-là aussi boivent du Coca. Petite lampée. Je regarde un peu comment c'est chez eux, parce que je ne fais pas gaffe d'habitude. Il y a des meubles, des livres et des tableaux, en gros. Rien de fou. Mais tu sens que ça coûte cher. J'en connais qui feraient un bon billet avec cette maison. Par contre, il n'y a rien qui traîne. Un modèle d'exposition. Ça me fait bizarre d'être chez elle comme ça. Quand je suis à l'heure, elle est déjà dans la chambre.

J'entre et m'assois sur le lit. Il est tellement bien fait qu'on croirait que personne n'a dormi dedans, jamais. Il y a six oreillers. Tout est blanc dans cette chambre, et quasiment rien de personnel ne la caractérise. On pourrait se croire à l'hôtel. Seules quelques photographies, encadrées, la montrent avec certains membres de sa famille, ou de son entourage proche. Je ne sais même pas en fait. Elle figure sur chacune des photos. Elle est belle sur chacune d'entre elles.

J'entends la porte de la salle de bains et les pieds nus sur le carrelage. Elle marche sur la pointe des pieds. Je fais semblant de tousser pour signaler ma présence. Quand elle entre dans la chambre elle s'arrête sur le seuil. Ses cheveux sont mouillés alors on ne voit pas qu'ils sont ondulés d'habitude. Ça lui donne un air grave, un peu. Quelques gouttes d'eau sur les épaules. Elle se tient en appui sur la jambe gauche, la droite repliée avec la pointe du pied au sol, derrière. Elle pose.

100

Elle s'approche et me dit hey, et puis elle me lâche un baiser furtif, du bout des lèvres, et ajoute j'arrive, en remontant sa serviette fermée sur ses seins comprimés. Ils sont beaux. Après quelques secondes elle revient sur ses pas pour passer sa tête dans l'encadrement de la porte et me demander d'enlever mon tee-shirt. Je m'exécute.

Elle revient munie d'une deuxième serviette, plus petite, et elle se sèche les pointes en les frottant très fort. Tu es en avance elle dit, et je réponds oui. Elle s'allonge sur le lit, au milieu, et attrape un coussin qu'elle vient caler sous sa tête. Elle me regarde, elle a ce rictus, et puis elle ferme les yeux et soupire. Enfin, elle ouvre la serviette et dévoile ainsi son corps nu.

Doucement, je pose mes lèvres sur cette partie qu'il y a entre l'oreille et la nuque, et j'y reste quelques secondes, sans appuyer, sans mouiller mes lèvres, et déjà elle gémit, faiblement. Elle bouge comme si elle étirait son corps somnolent. Je tente de capter ses réactions du coin de l'œil. Je jette une oreille aussi. Elle tourne la tête sur le côté pour me donner plus de latitude. Je descends de deux centimètres à peine, et réitère le même baiser, et puis encore une fois, un peu en dessous, et puis encore, en étant remonté là où j'avais commencé. Sa peau est douce. Elle sent bon. Alors que j'embrasse son cou, les doigts de ma main gauche effleurent son genou d'abord, et remontent le long de sa cuisse, puis dans le creux de la hanche, son ventre, tracent un cercle autour de son nombril puis la main passe sur le sein, glisse sur l'épaule, et emprunte alors le chemin inverse, et des doigts je passe à la main, main qui effleure, jamais posée, toujours fuyante. Main qui déambule, visite en flânant. Le tour de la propriétaire. Cette jambe qui était tendue se replie, puis s'ouvre, m'invitant à venir frôler l'intérieur de la cuisse, ce que je fais, pour mieux retourner vers le haut du genou, puis descendre vers le mollet, et revenir par l'extérieur de la cuisse. Ma bouche embrasse le trapèze maintenant, l'épaule, passe par la clavicule, encore un peu le cou. Elle lève le menton et je l'embrasse sous la mâchoire. J'appuie un peu plus fort avec mes lèvres, et en même temps la paume de ma main se pose sur le ventre, puis descend vers le haut du pubis, tourne autour, pour se dérober subitement, et se poser sur le sein gauche en étant passée par la hanche. Du sein, sur lequel elle ne s'attarde pas, ma main s'échappe vers l'épaule, et je ne l'effleure plus, je la caresse. J'amorce mon étreinte. Par paliers. C'est ma main gauche qui travaille, mon avant-bras droit me sert de reposoir, et ma main droite ne me sert à rien, perdue quelque part entre le matelas, l'épaule et un oreiller. Quand je reprends son sein à pleine main, elle attrape ma nuque en se relevant légèrement, ça me permet de glisser mon bras droit sous sa tête, pour poser ma main autour de son épaule. Je la serre contre moi et elle relève les jambes, on se colle l'un à l'autre. Ma cuisse contre son pubis, j'appuie. Elle m'embrasse. C'est rare ça, qu'elle m'embrasse. Et quand elle le fait, c'est rarement aussi intense. Elle doit vraiment avoir très envie de jouir aujourd'hui.

Une fois elle m'a expliqué un truc, comme quoi c'était exponentiel, elle a dit. Elle a beaucoup insisté là-dessus. Sur le moment j'ai fait semblant de comprendre, mais j'ai dû vérifier plus tard. C'était parti d'une discussion où elle s'était moquée de moi parce que je croyais que langoureux ça voulait dire avec la langue. Elle m'a expliqué et j'ai trouvé que ça revenait au même. C'est là qu'elle m'a dit que je devais la faire languir. C'est à ça que je pense tandis que je suis penché sur elle et que j'embrasse le haut de son sein droit, tout en descendant vers le téton, caressant l'autre, et puis alterner. C'est du travail. Les meufs elles sont toujours là à dire que nous les mecs on ne peut pas faire plusieurs choses à la fois, mais s'agirait de prendre en compte le nombre de zones érogènes qu'elles trimballent. Faut être partout. Alors qu'elles, tout au plus elles peuvent se targuer de penser à nous caresser les boules pendant qu'elles nous sucent. Faut pas charrier. Quant à leur donner une plus grande marge de manœuvre, je laisse ça à ceux qui aiment qu'on leur rentre une phalange.

Son corps, c'est la baguette du chef d'orchestre. Je joue ma partition mais je me laisse guider. Faut choper la mesure. Quand elle commence à donner des coups de bassin, c'est qu'on peut monter d'un palier. Son pubis m'appelle. La jointure entre mon index et mon majeur, je la pose juste au-dessus du capuchon, et avec mes deux doigts j'écarte délicatement les lèvres. La pointe de mon majeur glisse, de bas en haut, constatant le flux. Elle est trempée. C'est l'instant que je préfère. Cette première phalange qu'on pose d'abord, puis qu'on fait glisser en petits cercles, dehors. C'est si court. La nécessité de la mission l'emporte vite sur la contemplation. Imbiber le clitoris, le préparer à l'assaut. Je porte mes doigts à ma bouche et j'y dépose un beau morceau de salive que j'applique un peu partout sur son sexe, et vu qu'elle mouille déjà avec abondance, c'est bien irrigué.

Ça l'excite quand je fais ça. Ça me rappelle Lahuiss qui était venu s'entraîner à la salle, comme ça pour voir. Il avait galéré à retirer l'une de ses bagues et il avait fini par cracher sur son doigt. Le petit Victor pensait qu'avec du savon ça marcherait mieux. Il était perplexe, avec sur la gueule un air de se demander comment Lahuiss avait pu avoir l'idée de faire ça. J'ai rigolé quand Lahuiss lui a dit qu'il comprendrait plus tard.

Vite fait je cale une demi-phalange avec mon majeur de temps en temps, mais je reste surtout à l'extérieur. Elle a repris ma bouche. Le bassin est actif. Ça c'est pour que je lui mette mon majeur en entier, mais calme, ça arrive. Je commence à lui mettre deux phalanges pour aller chercher de la cyprine et lui appliquer ça sur le clitoris, pour que ça glisse bien, comme ça je peux le lui toucher comme il faut sans que ça la brûle. Le premier coup que je lui rentre mon majeur, c'est encore un peu serré là-dedans. Je m'applique à sentir mon doigt creuser ce sillon, et les hanches qui l'accompagnent, et centimètre après centimètre, jusqu'à ce que la jointure des doigts touche les lèvres extérieures. Elle s'accroche à moi, aux coussins, elle me fourre sa langue dans la bouche. Elle caresse mon corps, elle en décalque le dessin. Son sexe est bien ouvert maintenant. J'ai trois doigts à l'intérieur, c'est elle qui a demandé. Je frotte la paroi en haut, avec Untel on appelle ça le plafond. Elle décolle son fessier de la surface du matelas, et je prends ça pour une injonction à appuyer plus fort. Avec mes doigts je commence à faire des ronds, et je vais de plus en plus vite, elle lâche des onomatopées plus ou moins longues, plus ou moins régulières. C'est comme les notes, il y a des blanches et des noires, et puis des croches. Ses ongles s'enfoncent un peu dans la chair de mon épaule gauche, et je trouve ça très désagréable. Je relâche un peu l'étreinte et ralentis mon geste, jusqu'à sortir ma main et retourner sur le clitoris, ça lui fait reposer ses fesses sur le lit et m'embrasser. Par moments elle me mordille la lèvre et je n'aime pas ça. Elle attrape mes cheveux et appuie sur ma tête, signe qu'on peut franchir un nouveau palier. La faire languir assez pour qu'elle réclame. Alors j'enlève ma bouche de la sienne puis lui embrasse sommairement les tétons, puis le ventre, le tout en faisant glisser mes genoux pour descendre, et j'essaie d'aller lentement comme elle le souhaite mais je n'y arrive plus vraiment, j'arrive à hauteur de son pubis épilé, que j'embrasse aussi. Je passe mes bras sous ses cuisses pour en faire le tour, et mes mains se rejoignent sur le pubis que je manipule en écartant les lèvres d'abord, avec mes pouces, puis en appuyant légèrement sur le haut, avec mon index, comme pour remonter le tout et tendre la peau, afin que lorsque j'y poserai ma langue, ce que je fais maintenant, le clitoris soit bien exposé. Je mets deux ou trois coups de langue très lents, remontant de bas en haut, et arrivé en haut pour la trois ou quatrième fois j'embrasse le tout comme si je lui roulais une pelle, en tentant d'isoler le clito entre mes lèvres et le suçoter légèrement, sans trop insister. Je reprends le même parcours et puis cette fois j'en fais plusieurs fois le tour avec ma langue, quelques tours dans un sens et puis dans l'autre, comme quand on s'échauffe les épaules à la boxe. Je ne prends plus de précautions. Le terrain a été préparé. Je lui bouffe la chatte, littéralement. Je joue de l'harmonica sur son corps. De temps en temps je crache, enfin non ce n'est pas vraiment cracher, simplement j'évacue un amas de salive que je dispose un peu partout avec ma langue. J'ai une vision très brève de la première fois que j'ai lâché un gros mollard en sa présence. On marchait dans les bois près de sa maison, j'avais eu une glaire qui remontait, et j'étais allé la chercher sans la moindre discrétion. Bruyant. Parce que démonstratif. Je ne trouve à m'affirmer qu'en affichant mes défauts, elle l'a vite compris. Quelque part ça l'excitait déjà tout ça. S'encanailler avec cette irrévérence, cet anticonformisme, tout relatif bien sûr. Elle m'a pris pour un rebelle et puis elle a vu. Pour ça qu'elle ne baise pas avec moi. Qu'elle m'utilise. Elle est curieuse de moi et ça la fait trop chier. Elle n'a pas été éduquée comme ça. Elle veut voir comment c'est chez les autres, parce que tôt ou tard il faut la goûter la merde, savoir quel goût ça a. Elle m'a trouvé moi. Assez éduqué pour échanger trois mots. Assez joli pour être désirable. Trop marqué cependant pour devenir intime. Trop sauvage pour être apprivoisé à long terme. Trop peu désireux de vivre.

J'ai la gueule trempée jusqu'aux pommettes. Parfois je descends un peu et je rentre ma langue dans l'orifice, mais elle n'est pas très longue ma langue, je ne sais même pas si elle sent quelque chose, alors pour compenser je la bouge un peu dans tous les sens, mais vu que j'ai peur que ça ne lui fasse pas grand-chose en général j'abrège et je remonte. Elle a d'assez grosses lèvres, et moi ça m'arrange, je peux jouer avec. Par moments, j'ouvre la bouche, la colle contre son sexe, puis aspire ses lèvres comme si je voulais les avaler, et leur taille leur permet de venir se caler contre l'intérieur de mes joues. Je me

retrouve avec son clitoris surexposé dans la bouche, et je
n'ai même pas à tirer la langue, simplement à la bouger,
et ça fait une étreinte, j'ai sa chatte dans la bouche et elle
adore ça, je le sais à sa manière de me tirer les cheveux
et de bouger le bassin comme si elle était empalée sur
mon sexe et qu'elle essayait de se faire jouir avec. Elle
s'est fait les contours au rasoir, ça pique un peu, même
ça brûle quand elle appuie trop fort contre ma bouche,
tellement elle se frotte, et moi j'ai des crampes dans les
joues, la mâchoire, et même le cou, j'accompagne le flux,
ma tête bouge dans tous les sens tout en se calant sur
son mouvement à elle, pour ne pas desserrer l'étreinte,
ne pas casser la dynamique, parce que je sens qu'elle
monte, alors que je ne lui ai même pas encore rajouté
le majeur, mais j'aime aussi la faire jouir juste avec ma
bouche, c'est comme gagner un combat avec le jab. Je
la sens qui monte, c'est évident, ça se voit aux hanches
qui tremblent, au bassin qui bouge, aux mains qui se
crispent, sur ma tête et sur mon poignet droit, à la poitrine qui gonfle et cette respiration saccadée, et bruyante,
avec ces gémissements qui accompagnent chaque expi-
ration. Et puis ça se voit sur son visage aussi, y a qu'à
voir comment ça la déforme. Elle n'a pas la même voix
quand elle jouit. Il y a comme une retenue mais c'est
infime, on croirait que non, et puis en fait on s'en rend
compte quand la jouissance arrive vraiment, parce que
les tremblements deviennent des déflagrations, les mouvements réguliers se transforment en spasmes, les mains
ne sont plus crispées mais elles se cramponnent comme
si le corps chutait, et les gémissements deviennent des
cris dont parfois on pourrait douter que c'est le plaisir

qu'ils expriment. Et puis cette gueule, putain. Son visage est si crispé qu'on croirait que ses joues vont lui recouvrir les yeux, et que sa lèvre supérieure va avaler son nez. À cet instant précis je ne dirais pas qu'elle est belle. Je sens cette montée et puis aussi cette stase, quand elle est en haut, ça dure quelques instants pendant lesquels moi je continue, je ne relâche pas la pression, et j'ai mal partout mais je dois tenir, il ne faudrait surtout pas la couper dans son élan. Là c'est le moment où le type est dans les cordes à la dérive, il faut le finir, lui envoyer le punch qui le mettra K-O, même si on est en apnée et qu'on n'en peut plus d'envoyer des coups. J'ai mal dans la nuque, j'ai la mâchoire qui va se décrocher, la langue engourdie, les joues brûlées, le sexe compressé. Mais je dois être attentif à la redescente, parce que je vais devoir l'accompagner, et il y a un moment de cette descente où il faut arrêter, pas d'un coup sec, c'est une question de timing, un tempo à capter, et c'est elle qui bat la mesure, toujours. Chaque corps le dit à sa façon. Moi, je n'ai pas grand-chose à voir là-dedans. Sous ma bouche ça bouge sans savoir comment. Ça fluctue. Et puis ça s'arrête.

Relâchement, plus de tension dans les membres. À sa manière d'expirer on la croirait soulagée d'un poids. J'enlève mes bras de sous ses cuisses, prends sa jambe droite et la pousse sur le côté, puis m'allonge après m'être essuyé le visage contre la couverture. Elle tourne sur son épaule et m'oppose son dos. Je m'approche et pose ma main sur son bras, mais elle me repousse en me disant ah non, me touche pas, et elle dit ça comme si elle parlait en dormant, ce n'est pas articulé, on n'entend pas bien tous les mots. Mais ça se fait bien comprendre.

Elle s'est remise sur le dos et moi je suis assis au bout du lit. Elle dort. Elle dort toujours après avoir joui. Pas longtemps, un quart d'heure. Moi je roule un joint pendant ce temps-là, sur le petit tabouret. Farid m'a fait un petit pochon de beuh l'autre jour, il m'en reste une bonne tête. Les filles préfèrent l'herbe. C'est plus chic. Si la fume est la drogue du pauvre, l'herbe est la fume du riche. Voilà. Après, le shit, c'est quand même un truc de schlag, faut être honnête.

Elle a bougé une jambe, elle est en train d'émerger. Elle a replié la couverture sur elle. Je la regarde rapidement et puis je retourne à mon joint, sur lequel je n'ai plus qu'à lécher le collant. J'ai débandé, mais pas totalement. Quand j'éclate le spliff, entre-temps je me suis levé pour ouvrir la fenêtre et j'ai attrapé le gros cendard Johnnie Walker noir, que j'ai posé sur mes cuisses après m'être installé le dos contre la tête de lit, les jambes allongées. J'ai remis mon tee-shirt. Elle, elle est passée sous la couverture, assise en tailleur. Elle a mis un tee-shirt elle aussi. Je tire deux lattes et je lui donne le joint. Elle a ce truc d'essuyer ses lèvres avec son pouce avant de le porter à sa bouche. Je me demande si elle ferait ça avec mon sexe. J'espère que non. Elle tire une taffe. Une grosse. On sent qu'elle vit un truc intense. Elle garde la fumée longtemps dans ses poumons, elle vit chaque taffe qu'elle tire. On croirait qu'elle fait un rituel chamanique l'autre. Moi je fume ça comme une clope, je ne fais pas gaffe, si je ne suis pas assez foncedé j'en roule un autre. Ça me fait toujours marrer, les gens pour qui fumer c'est un truc de ouf.

Je dis que je ne viendrai plus, elle dit que j'ai déjà dit ça. Je lui demande le joint. Elle me demande si j'ai cherché du travail, je réponds non, et je tire une latte. Elle reste silencieuse et moi aussi, ça dure le temps du spliff, on se parle peu, c'est décousu. À un moment elle dit que ce que je viens de lui faire c'est tout ce qui nous reste. Je dis qu'elle me donne trop d'importance, elle répond qu'au contraire elle aurait bien voulu. Je ne dis rien. Je sais bien qu'elle voudrait qu'on parle, mais si on parle ça va faire comme à chaque fois, et je vais me sentir comme de la merde.

Mon téléphone, posé sur la table de chevet, vibre. Je le consulte, elle me le reproche. C'est un message. C'est important. Il faut que je m'en aille. Je dis, il faut que je m'en aille. Je suis debout devant le lit, le téléphone dans la main, elle évite mon regard. Elle est contrariée. Ce sera au moins ça que je lui aurai apporté aujourd'hui et qu'elle n'aura pas décidé à l'avance.

Je me rhabille et elle me regarde faire. D'habitude elle retourne à la douche avant même que je sois sorti. Là, elle ne bouge pas. Elle dit qu'on devrait avoir une conversation, et moi je réponds que je n'ai rien à dire, que de toute façon elle ne veut pas vraiment l'avoir, cette conversation. Elle soupire et lâche un geste de la main, l'air de dire vas-y casse-toi. Je m'adoucis un peu, et je dis à la prochaine. Elle me répond d'aller me faire enculer, mais je l'entends de loin parce que je suis déjà dehors. Je claque la porte. Après quelques pas en direction de ma bicyclette je ressors mon téléphone et consulte à nouveau le message, histoire d'être sûr que je n'ai pas halluciné. C'est de la part de monsieur Pierrot. Il est écrit :

Kerbachi, dans un mois. 69 kilos. Va courir.

Tempête

Il y a trop de buée sur cette glace. C'est à peine si je m'y vois. Je crois apercevoir tout de même un type en train de se débattre avec son corps. Il n'a pas l'air frais. Il est beau quand il fait du shadow, mais il ne tient pas trois rounds. Une danseuse plutôt qu'un boxeur. Juste bon à se donner en spectacle. Foutez-le sous un chapiteau mais ne le laissez pas monter sur un ring. Il serait obligé de s'y frotter à la dureté de la vie. Pas habitué l'autre. Pas prêt pour ça. Toujours dans son cocon. Dans sa petite mare. Si on lui dit qu'il est bon c'est bien qu'il doit l'être. Il le sera tant qu'il y aura du monde pour le lui dire. Ou jusqu'au jour où le vieux lui annoncera qu'on arrête là. En attendant il faudra suer. Parce que même sur une jambe on sue. Même avec les mains basses. Même avec trois joints dans la gueule avant l'entraînement. Plus qu'une minute. On intensifie. C'est Virgil qui mène. Il a la santé celui-là. L'unique moyen de ne pas souffrir d'un entraînement de boxe, c'est de ne pas y aller. Moi, je suis là. Alors qu'on ne vienne pas me dire que je suis incapable de faire des sacrifices.

Monsieur Pierrot a été très clair. Ce sera mon dernier combat dans cette catégorie. Après c'est du sérieux. Je n'ai rien dit. Même quand il a parlé de musculation, de cardio, de régime, je n'ai rien dit. En vrai, il avait à peine commencé à parler que déjà j'étais dépassé. C'est pour ça que je n'ai rien dit. Parce que si j'avais dit quelque chose j'aurais dit ça. Et sûrement que j'en aurais mangé une.

Encore deux rounds de shadow devant la glace avant que le vieux nous appelle, Virgil Sucré et moi. Alors qu'il attache le casque autour de ma tête, il nous explique comment on va travailler. Sucré boxe avec moi pendant les deux premières minutes de chaque round, à distance, et Virgil la dernière minute, au corps à corps. On fait ça pendant les trois premiers rounds, et puis on inverse. Il me demande de beaucoup bouger, de me désaxer surtout, étant donné que Kerbachi il est un peu raide mais il boxe bien en ligne, avec de bons directs. Je constate qu'il me parle comme on parle à un athlète en forme. Je hoche la tête.

Après que la sonnerie a retenti, et alors que je tends le gant pour que Sucré le touche, cet enfoiré me lance un direct du gauche qui me claque en plein dans le nez. T'es un bâtard je dis. Il me répond défends-toi, et je monte les mains. Quand il donne son jab il fait un pas vers l'avant, pour casser la distance. Il a beau être vif, je suis censé le voir amorcer son attaque et donc ne pas l'encaisser. Je le vois partir, mais je le prends quand même. Les rares que j'esquive c'est par hasard, ou alors je les bloque en me cachant le visage sous les gants. Je me fais déjà gueuler dessus par le vieux. J'entreprends de tourner autour de Sucré, mettre de la distance, fuir. Mais j'ai les jambes lourdes. Alors qu'il m'emmène dans les cordes je tente un pas de côté mais je suis si peu explosif que je reste à portée, et encaisse une série gauche droite que j'aurais trouvée magnifique si je m'étais trouvé au bord du ring. Le vieux hurle ses conseils qui deviennent des injonctions mais ça reste sans effet. Non pas que je ne veuille pas. Les deux minutes passent et Virgil entre dans le ring. Je le vois s'approcher de moi en marchant, puis se mettre en garde une fois arrivé à distance tandis que Sucré, essoufflé, s'adosse au coin rouge, les bras en croix posés sur les cordes. Alors que je devrais l'empêcher d'approcher je reste dos au coin, à l'attendre. Il vient se coller à moi, front contre front, et me frappe au corps, remonte à la face, pèse de tout son poids pour m'empêcher de bouger, sortir de là. Je bouge la tête juste ce qu'il faut pour ne pas prendre les coups de plein fouet mais pas assez pour les éviter vraiment. Je lance un crochet large, désespéré, que Virgil voit arriver à des kilomètres, et qu'il esquive facilement juste en reculant son buste. Aveu total d'impuissance quand j'en viens à essayer de le pousser à bout de bras, mais lui revient à la charge instantanément, bien décidé à ne pas me faire la moindre fleur. Je le remercierai plus tard. Il est tellement sur moi qu'on croirait qu'il veut entrer dans mon corps, en prendre possession. Je me sens comme une chemise froissée sous un fer à repasser. Sauf qu'ici c'est l'inverse qui s'opère. On arrive repassé on repart froissé.

Quand la sonnerie indique la fin du round, à la manière qu'a le vieux de m'engueuler j'ai l'impression d'avoir quinze ans. Il menace de m'enlever le casque et de m'envoyer au vestiaire, tout en me demandant si j'ai vraiment envie de le faire ce combat. Je dis oui. Respire, il fait, avant d'ajouter qu'en boxe on perd vite de la technique quand on n'a pas mis les gants depuis quelque temps, mais qu'il suffit de s'y remettre, ça revient. Ce sont des sensations qui nécessitent de l'entretien. Par contre, il y a une chose qu'on perd pour toujours quand on ne l'a plus, c'est la volonté. Sans elle, on peut être le meilleur escrimeur du monde, on n'ira nulle part. Et sûrement pas à la guerre.

Je reprends mon souffle autant que je le peux. Une minute de repos, en boxe, ça dure dix secondes. Alors que trois minutes à boxer dans le ring, parfois on croirait que ça dure un putain de quart d'heure. Le deuxième round commence comme le premier. Je prends quasiment tous les directs de Sucré, j'ai toujours une demi-seconde de retard, sur les blocages, les esquives. Je me fais engueuler comme ce n'est pas permis, et même Sucré me dit mais putain Jonas, boxe, et en réponse à cela moi je monte les mains pour limiter la casse. Tous mes membres sont crispés, les muscles contractés. Je boxe à contretemps, mes remises tombent dans le vide. Mes jambes ne m'emmènent pas, juste trois pas et puis les talons s'enfoncent dans le tapis. Je n'ai pas touché Sucré une seule fois quand son tour se termine. Le vieux ne hurle plus, il souffle. Lorsque Virgil reprend son travail de sape je suis roué de coups dans les cordes. En combat, et en pareille situation, un arbitre pourrait très bien signifier l'arrêt prématuré du match sans que ça choque personne. Au contraire, une bonne partie de l'audience serait soulagée qu'on s'arrête là. Monsieur Pierrot s'égosille cette fois, je crois bien qu'il a envie de me tuer. Virgil n'en a rien à foutre que je sois manifestement diminué, ou pas dans mon assiette. Il frappe. Il cogne. Il va m'arracher la tête dans pas longtemps. Monte tes mains Jonas. Le round s'achève alors que je suis dans le coin rouge à laisser passer l'orage, car c'est bien de cela qu'il s'agit, une grêle de coups. Et par moments, des éclairs.

Cette fois monsieur Pierrot m'arrache le scratch du casque avant même que je l'aie vu venir. Il dit qu'il va annuler le combat, Virgil et Sucré restent silencieux et s'éloignent, l'air désolé pour moi. Monsieur Pierrot s'adoucit après un silence, il ne doit pas savoir quoi déceler dans mon regard. Il en est à me demander ce qui ne va pas, si j'ai des problèmes, il dit que je peux lui en parler, et moi je me sens honteux devant cet homme qui m'a tant donné et que je ne fais que décevoir, nostalgique des louanges que je l'ai toujours entendu me tresser, triste de n'être qu'une fausse promesse. L'impression de le trahir. La pendule tourne, la minute de repos est sur le point de s'achever. Je le regarde dans les yeux, ce que je ne fais pas souvent d'ailleurs, et je dis que je vais lui montrer ce dont je suis capable. Il se laisse convaincre et me remet le casque, tout en marmonnant que ça il le sait certainement mieux que moi. Quand la sonnerie retentit, il me pousse dans le dos en direction de Sucré, qui est déjà en garde.

Je prends le ring comme un terrain de jeu. C'est le meilleur moyen pour moi de conjurer ma peur. Je me sens comme un torero qui risque sa vie à la moindre passe. Prendre le parti de s'en amuser, c'est ma manière de renoncer à la peur. Sauf que le type en face n'est pas là pour jouer. Il n'est pas là pour me laisser jouer. Je ne peux jouer que contre les faibles. Pour progresser il faut se mettre en danger. Souffrir. Surmonter. Pour ça je dois me faire violence. Ça commence par oublier le jeu. Accepter la peur. Alors je me concentre. Je ne nie plus le danger. Il est là face à moi, c'est lui ou moi. J'ouvre les yeux et je le vois partir ce foutu jab. Esquive latérale, uppercut en sortie de garde, Sucré l'encaisse. Bah voilà, il dit en montant les mains. Il ne me laisse pas le temps de m'installer, il hausse le rythme, envoie ses directs. Je les esquive chasse et bloque tous. Et je remise. Ça rentre. Voilà Jonas, c'est ça, hurle le vieux. Je reste en face, je garde mes jambes pour Virgil. J'ai pris le centre du ring et c'est Sucré qui me tourne autour. Ça se voit sur sa gueule qu'il est concentré lui aussi. Il a compris que j'étais de retour. Même s'il me connaît assez pour savoir que je suis en surrégime. Mon cœur palpite, j'ai la bouche grande ouverte pour aller chercher de l'air, et mes mains ne reviennent déjà plus au visage. Il balance son jab à répétition, comme lui a demandé monsieur Pierrot. J'en ai marre, je veux qu'il arrête. Alors j'outrepasse les consignes. Après avoir triplé mon jab en avançant j'ai forcé Sucré à reculer jusqu'aux cordes, et là je lui balance une droite au visage qu'il bloque avec ses deux mains en les remontant, ce dont je profite pour avancer mon pied gauche jusque sous son coude droit et lui envoyer un crochet au foie de toutes mes forces. La seule fois de ma vie où j'ai voulu arrêter la boxe c'était après avoir reçu un coup comme celui-ci. Sucré met un genou à terre. Il est pris d'un haut-le-cœur qui donne l'impression qu'il va vomir. Je demande gros, ça va, et alors qu'il se penche sur lui monsieur Pierrot pousse le bras de Virgil pour qu'il prenne la suite. T'occupe pas de ça, il hurle. On est à une minute trente dans le round. Virgil cherche à reprendre son travail là où il l'avait laissé et vient se coller à moi pour me balancer des séries, et cette fois j'ai vraiment besoin de mes jambes. Je recule et allonge mon bras gauche pour le maintenir à distance, et à chacun de ses mouvements je balance le jab en piston pour arrêter sa progression, mais il est solide. Il passe sous mon bras et me touche deux fois au corps avant de remonter à la face, mais j'arrive à me protéger en me collant à lui et en passant mes bras sous ses épaules. D'habitude, en sortie de corps à corps on ne donne pas de coup, parce qu'on est à l'entraînement, on est entre nous. C'est une tactique un peu sournoise, à la limite de la régularité, mais terriblement efficace pour la proximité et l'assise sur les jambes qu'elle implique. Les pieds à plat au sol, vissé sur mes appuis, je lance un court crochet gauche en tournant bien sur mon axe, compact, et ça lui arrive en plein menton. Ne l'ayant pas vu venir il est cueilli, ses genoux fléchissent. Ma droite, dans la continuité du crochet, est déjà partie, par-dessus l'épaule, et elle vient s'écraser contre son menton. La violence du choc le projette en arrière, dans les cordes contre lesquelles il rebondit avant de s'écrouler au tapis. Monsieur Pierrot passe entre les cordes, se jette sur Virgil et lui retire son protège-dents. J'enlève mes gants, mon casque, et je m'approche aussi, tout comme Sucré qui se tient le ventre et marche en boitant. Le vieux nous demande de lui laisser de l'espace et déjà Virgil se redresse, tente de s'asseoir. Il dit que ça va mais ses yeux sont dans le vague. D'un côté ça me fait peur, j'espère que ça va aller. Et puis de l'autre je me dis putain, il va s'en rappeler de celle-là.

Ils partent tous deux vers le vestiaire. Sucré se tient le ventre, Virgil la tête. Moi je reprends mon souffle, j'ai la poitrine qui va exploser. Acidité dans l'œsophage, les bronches qui brûlent, la gorge qui saigne. J'ai la tête dans les bras, posés sur la plus haute corde du ring. Monsieur Pierrot me met une petite tape dans le dos. Ça va pas du tout, il dit. Je ne peux rien répondre, mon souffle coupé m'en empêche, mais je me redresse et lui fais face. T'es pas fait pour la bagarre il dit, toi Jonas t'es un esthète, un styliste, tu devrais pas rentrer dans des batailles comme ça. J'ai récupéré un peu de souffle. Je me tourne et lui présente ma nuque pour qu'il m'enlève le casque. Pour ça je dois fléchir. Je lui mets une tête au vieux, il n'est pas bien grand. Crois-moi mon p'tit il fait, j'en ai eu des boxeurs courageux qui allaient au casse-pipe, aujourd'hui ces gars-là ils bavent quand ils parlent et puis ils articulent mal, qu'on comprend pas tout de ce qu'ils racontent. Il s'en va poser le casque dans le bac où on les range, et il revient. Il vient d'agiter le spectre. Je ne sais pas s'il s'en rend compte. Il le sait bien lui, que la première chose à laquelle je pense en montant dans un ring c'est de ne pas prendre de coups. Le meilleur moyen de ne pas prendre de coups c'est de boxer comme il m'a appris à le faire. Les donner sans les prendre. Et à moi il m'a appris comme ça parce qu'il savait. Il les connaît ses bonshommes. Il en a vu d'autres. Il savait que je n'étais pas fait pour ça. Pourtant il n'a pas vu la terreur qui s'est emparée de moi aujourd'hui. Il n'y a peut-être déjà plus rien à faire. Il a pressé tout le jus. Il ne lui reste que les épluchures dans la main.

Il m'a dit de prendre une corde. Je vais devoir faire huit rounds à haute intensité, pour le cardio. J'ai dit d'accord alors qu'il ne m'avait pas demandé mon avis. Virgil et Sucré sont revenus dans la salle. Ils font des étirements sur un tapis. Ils ne sont pas tout neufs. Il y en a un qui prendra de l'aspirine ce soir, alors que l'autre ne devrait pas tarder à chier des briques. Nos regards se croisent et je leur dis merci. Ils disent pareil. C'est l'accord tacite. On n'est pas là pour se faire des cadeaux, même si ça m'arrive souvent de m'arranger avec la vérité. Un mec te pète la gueule, et tu lui dis merci. Merci de ne pas être complaisant. Merci de me traiter en égal. Merci de respecter mon courage en me montrant ce que c'est que de se tenir entre quatre cordes. Merci de m'avoir rappelé à quel point je suis fragile.

Je ne sais pas encore ce que je dirai à Kerbachi.

Caillou

Le matin, le joint largement entamé est posé dans le cendrier, sur la table de chevet. Il reste quelques lattes à tirer. Au moment où je le porte à ma bouche il y a de la cendre qui tombe sur la couette. Je souffle et je mets quelques coups avec la main pour les disperser, ça laisse des traces noires sur le tissu. Je rallume le joint, tire les trois quatre taffes qui restent, et ne me rendors pas toujours.

Au réveil, j'ai souvent un livre posé sur le ventre. Dès que je ne comprends plus rien à ce que je lis, j'éteins la lumière. C'est toujours les mêmes livres. Un Barjavel, ou *Robinson Crusoé*. J'aime tout ce qui relate une vie où les règles de la société n'ont plus cours, et où ce qui était nécessaire devient superflu. Chez Barjavel ce sont souvent des récits post-apocalyptiques, où le monde est à réinventer. Il a cette façon de toujours mettre l'amour au centre, comme principe de réactivation du monde, comme si son absence avait précipité la fin des temps. Comme s'il fallait mourir pour pouvoir revenir à l'essentiel. Chez Crusoé aussi on retrouve ça. Cet homme qui parvient à faire société à lui seul, et à donner au travail son sens primitif, celui de survivre. Et bien souvent je m'imagine avoir le même destin, un destin qui me permettrait de me rencontrer moi-même, sans les autres, qui ne constituent plus qu'un miroir déformant. Seul sur une île je n'aurais personne à qui me comparer. Et je pourrais travailler à ma survie, pour ne plus avoir à me demander si je vis bien. Heureusement j'en ai trouvé qui me ressemblent. On se soutient dans cet exil. Tous solitaires, ensemble. Tous à vouloir sortir du rang pour se retrouver enfin seuls, et tenter de comprendre ce qu'on est censés faire avec ça.

Bander au réveil, ça me donne un truc à faire. Je pense aux femmes que j'ai connues, et je les mélange à celles que j'aurais voulu connaître. Alors ces mains que j'ai posées là je les pose ici, et celle-ci devient celle-là dans cette chambre où c'était une autre encore. Tout s'entremêle et se télescope. Elles s'échangent les corps, les voix, les talents. Je me vois prendre Sarah dans le lit de sa grande sœur en embrassant Léa au bord du canal, et sa langue est celle de Delphine qui me suce dans la salle de bains chez ses parents, et j'attrape le cul de Marion qui se met à respirer vite et à serrer les dents, et ça la fait mouiller comme Elsa, en qui je m'imagine rentrer mon majeur d'abord, et j'ai tellement de place que mes autres doigts sont happés par la crue, ce flot qui inonde ma main qui s'y noie, pendant que mon sexe s'enfonce toujours plus profondément en Caroline, que j'entends me commander d'y rester, au fond, tout au fond juste avant que ça lui fasse mal, elle respire comme Amandine, et lorsque je suis proche de jouir, je pense à Alice qui avale mon sperme et à Wanda qui est absente de cette rêverie. Et je jouis de dépit.

Sous la douche je passe surtout mon temps à regarder mes pieds dont les ongles ont besoin d'être coupés. Assis sur le rebord de la baignoire, derrière moi ça fait plic-ploc jusqu'à ne plus le faire. J'attends qu'il n'y ait plus de buée sur le miroir pour me brosser les dents, et pour ça j'ouvre la fenêtre. Dehors, les grenouilles chantent, dans la mare.

Quand je crache le dentifrice, il y a une glaire qui me remonte dans la gorge. Je sens, coincé quelque part entre ma glotte et mes poumons, cet amas de bile, cette sorte de caillasse qui me coupe la respiration, et ça me donne la nausée. Je tousse. La glaire remonte un peu, mais pas assez, alors j'étouffe, et j'ai des spasmes, c'est un upper-cut au plexus à chaque fois. Je me mets à chialer, une larme à l'œil gauche, elle va chercher la pointe du menton. J'ai les mains crispées sur le lavabo, tellement qu'on dirait que je vais l'arracher du mur. Je commence à me racler la gorge pour décoller le truc d'où il est perché et ça me brûle jusqu'au palais. Ça fait mal et puis ça fait du bruit. Comme si on me passait du papier de verre dans l'œsophage. Sa mère la pute. Je me remets à tousser, une toux caverneuse, qui va chercher loin. La caillasse est remontée mais elle est encore sous la glotte, et en fait c'est encore pire parce que je ne peux plus déglutir et j'ai le souffle saccadé, avec le cœur qui bat dans les tempes. J'en suffoque. Ça me donne envie de vomir. Je crois que je vais vraiment vomir. Je tousse de toutes mes forces et j'arrive à extraire une partie du caillou, on dirait que mes tripes vont partir avec. Je suis essouf-flé comme après un sprint. Je regarde mes yeux rouges dans le miroir, cramponné au lavabo, prêt à expulser cette merde. C'est douloureux mais j'attire finalement la glaire et je la sens qui se décroche, pour m'arriver dans la bouche après avoir roulé sur le fond de ma langue. C'est une substance visqueuse qui enveloppe un noyau. Ça fait un frisson quand ça ricoche contre un chicot. Je la crache fort et elle atterrit dans le lavabo. Le truc est marron foncé, presque noir. La beauté intérieure. En voilà une graine à semer dans mon jardin. Elle s'est collée à la faïence, actionner le robinet n'y fait rien, elle s'accroche. Je dois y mettre le doigt pour la voir partir dans la tuyauterie. À demain.

Je n'ai pas envie de sortir. Je retourne à ma chambre, m'allonge sur le lit, et attrape le *Robinson* qui est là, sur la table de chevet. Je ne le lis jamais dans l'ordre, juste des passages. Je tombe sur celui où Robinson, après vingt ans de solitude, trouve une trace de pas dans le sable.

« Quand j'arrivai à mon château, car c'est ainsi que je le nommai toujours depuis lors, je m'y jetai comme un homme poursuivi. Y rentrai-je d'emblée par l'échelle ou par l'ouverture dans le roc que j'appelais une porte, je ne puis me le remémorer, car jamais lièvre effrayé ne se cacha, car jamais renard ne se terra avec plus d'effroi que moi dans cette retraite. »

Ruche

Il ne me faut pas plus d'une dizaine de minutes pour aller de chez moi à chez Romain. Ixe y est tout le temps maintenant, je ne prends même plus la peine de l'appeler pour savoir où je peux le trouver. Ça fait un petit bail que je n'y suis pas passé, et là c'est la première fois de jour. Avant d'arriver devant le portail je me prépare à voir une branche m'attaquer pour me crever l'œil. Si je devais reporter mon combat à cause d'une blessure, j'aurais l'air con au moment de me justifier. Mes potes habitent dans la jungle. Et la jungle, c'est hostile.

J'ouvre le portail et sur le coup je me demande si je suis au bon endroit. La maison, c'est pourtant bien celle-ci. Ça a changé. Il n'y a plus de branches. Il n'y a plus de ronces. Plus de jungle plus rien. Juste le chemin qui mène à la maison, qu'on voit maintenant, et que j'imaginais moins large. À la place, de l'herbe et des restes de déchets végétaux posés dessus. Contre le mur mitoyen la terre a été retournée comme si on allait y planter des fleurs. Le passage qui fait le tour de la maison sur la gauche est très large finalement. J'imagine mal Romain s'investir dans un merdier pareil. J'en suis encore à rester là sans bouger et à regarder ce jardin qui commence à ressembler à quelque chose quand Poto apparaît, une pioche à la main. Oh Jonas, bien ou quoi ? Accolade et puis la bise, ouais gros je dis, c'est quoi ce bordel ? Il dit t'as vu ça gros, ça fait trois jours qu'on est là-dessus, j'en peux plus j'te jure, mais viens derrière tu vas kiffer, on brûle des trucs. Il a l'air content Poto, avec sa pioche. Il m'explique qu'il est en train de déterrer des souches de thuyas au fond du jardin. Ah ouais.

J'arrive derrière et je les vois tous qui s'affairent. Habib utilise un balai à feuilles pour ramasser toutes les merdes qui traînent, Romain va et vient dans tous les sens avec un sac-poubelle, ce que je ne comprends pas bien d'ailleurs puisque derrière, vers le fond du jardin, Ixe se tient près du feu dans lequel il balance des branches trop vertes. Il a une machette dans la main. Je passe près du buisson de beuh, et il est beaucoup plus petit que la dernière fois.

Je les tcheke tous et je fais la bise à Ixe. Il n'a pas l'air content. Je lui demande ce qui se passe, et je dois répéter ma question parce qu'il a les yeux perdus dans le feu. Sans rien dire il m'invite à le suivre vers le buisson. Il se saisit d'une branche et puis d'une tête. Il me dit regarde, tu vois les traces noires là, je les vois les traces noires, et je demande c'est quoi ces traces noires, et là il m'explique que ces traces noires c'est qu'un fils de pute de champignon ou il ne sait quel parasite s'est attaqué à sa plante, que la moitié de sa récolte est foutue, que la moitié de son bénéfice va y passer, qu'il est soûlé, qu'il a envie de tout arracher et tout foutre au feu, et puis se casser d'ici une bonne fois pour toutes, et il monte en tension Ixe, il devient tout tremblant et tout. Il a toujours sa machette dans la main, et moi j'aimerais bien la prendre. Poto qui passe par là propose qu'on la traite la plante, alors que Habib pense qu'on peut faire des pochons quand même et les vendre à des victimes, mais Ixe ne supporte pas d'entendre des conneries pareilles. Je le sens bien énervé le Ixe. Je le connais, et là, c'est clair, il est énervé. Tellement que je me demande s'il n'y a que la plante qui le met dans cet état. Soûlé d'accord, mais énervé, c'est bizarre. Ce n'est pas son genre. Ixe il s'énerve si on lui fait quelque chose. S'il y a embrouille, ou un reproche à faire. Pour le reste, il est beaucoup trop fataliste pour prendre les choses à cœur. Si encore on lui avait saboté sa plante, d'accord, mais là, c'est étrange. Je le regarde s'exciter et je me dis que non, c'est sûr, y a un truc.

Ça n'a rien à voir mais ça m'intrigue alors je leur demande, et sinon, pourquoi vous jardinez comme ça ? Poto m'explique qu'après avoir déblayé le buisson de beuh ils ont continué sur leur lancée, sachant qu'en plus c'est une manière de rendre service à Romain qui est bien gentil de nous accueillir tout le temps chez lui, et à côté Habib rigole, il fait ouais c'est ça ouais, arrête tes conneries, c'est surtout qu'on se fait chier comme des rats morts.

À l'intérieur c'est devenu un véritable atelier. Dans la véranda est disposée au sol une bâche sur laquelle ont été posées toutes les branches à effeuiller. Ixe me dit que si je veux aider je suis le bienvenu, et je dis ouais, mais avant ça j'aimerais bien jouer avec vous dans le jardin un peu. Il me dit bah tiens regarde, y a ce tas de ronces là, on l'a bien attaqué déjà, tu peux le finir si tu veux, et quand il dit ça il me tend la machette par le manche, et c'est beaucoup trop tentant, je dis ouais, grave, vas-y file-moi ça, je prends la machette et je me dirige vers le tas de ronces. Ixe me dit faut que tu l'attaques par le bas, et moi je lui réponds laisse-moi le gérer ce tas de merde, je vais lui niquer sa mère. Je me pose en face et j'écarte un peu les jambes, je me baisse en pliant les genoux et me penche vers l'avant, je me rapproche du sol. J'envoie mon bras vers l'arrière, la machette dressée, et je l'abats en rase-mottes. Quand le bras revient, j'écarte ce qui a été coupé du revers de la lame, en balayant les déchets, et pour ça la machette est pratique, on ne pourrait pas le faire avec un katana. Après quelques coups je sens que c'est carrément addictif. Je me tourne vers Ixe, gros, s'te plaît, tu veux pas me rouler un oinj ? Il rigole et il dit mais ouais frérot, t'inquiète même pas j'vais t'mettre bien, et je retourne à mes ronces. On voit qu'elles ont été travaillées déjà, même s'il reste encore un bon mètre cinquante de végétaux jusqu'au grillage du voisin. T'inquiète.

Je lui nique sa race au tas de ronces. Ma technique au ras du sol, c'est efficace, mais c'est un genre de technique agricole, il y a ce côté répétitif qui rappelle le travail. Du coup j'ai changé d'optique, et là je joue au samouraï. Je brandis la machette au-dessus de ma tête et j'assène des coups aux angles improbables. J'ai un enchaînement qui est une sorte de crochet uppercut, ça fait voler des branches, parfois même j'essaie de les attraper au vol quand elles retombent. Et quand j'y arrive c'est trop stylé. Par contre il ne vaut mieux pas être dans les parages.

Putain il est chargé ton spliff Ixe. J'ai un bon tas maintenant, je vais pouvoir m'offrir un voyage au feu. J'attrape un râteau et au départ j'essaie de m'en servir comme d'un balai, et ensuite je me mets dans l'autre sens et j'essaie de pousser, et puis j'alterne, je galère un peu mais bon il n'est pas si loin ce feu, sauf qu'en même temps j'ai le spliff dans la bouche et les deux mains sur le râteau, alors la fumée me vient en pleine gueule. Le plus pratique ce serait quand même d'y mettre les mains, attraper ça le foutre au feu et on n'en parle plus, mais bon c'est plein d'épines ce merdier, c'est un coup à se planter une écharde, choper le tétanos. Là-dessus il y a Ixe qui intervient et qui me dit en rigolant mais putain Jonas t'es vraiment con des fois, et il prend ça entre ses grosses paluches et le balance au feu. Il en reste plein alors il continue, et moi du coup je fais comme lui et je me rends compte que ouais ça pique en fait, c'est un ouf lui. En plus il y a des orties putain ça y est ça va me démanger pendant quatre heures bordel Ixe regarde ce que tu me fais faire, et lui il rigole et il dit que je suis vraiment un pédé.

C'est une fois qu'on a tout arraché qu'on arrive aux souches. En vrai il y avait toutes sortes de conneries dans ce merdier. J'appelle Poto et je lui dis file-moi la pioche, il y a de la souche, et lui il dit ah non ça c'est un boulot pour moi, et il se ramène avec la pioche sur l'épaule, t'as l'impression que si t'essaies de lui prendre il te l'écrase sur la gueule le mec. J'ai assez jardiné. J'ai bien aimé ça même si, en apercevant enfin le grillage sous les ronces que j'ai attaquées, j'ai comme de la peine pour elles. Elles n'ont rien demandé. Elles ne faisaient qu'accomplir ce que la nature leur dictait. Grandir. Moi-même, je suis un genre de mauvaise herbe. Pas de plan. Pas de calendrier. Juste être. Contrairement aux ronces je peux échapper au jardinier. À celui qui a une vision de ce à quoi je devrais ressembler pour être présentable. Pour ça il faut savoir rester bien caché, et ça je sais faire. Les mauvaises herbes, elles m'inspirent. Il n'y a que chez elles que je prends de la graine.

Je me suis posé sur la table du salon. Romain et Habib sont là eux aussi. Ixe pose une croquette de shit devant moi il dit vas-y roule. C'est le bordel. Il y a des branches partout. Ixe en saisit une qui a été effeuillée par ses soins, dit-il, et il me montre ce que je dois faire. L'idée c'est d'enlever les feuilles. Alors les grosses feuilles ça va, mais une fois qu'on a bien déblayé jusqu'aux têtes, c'est là que ça commence à être un travail de précision. Il y a de toutes petites feuilles qui partent de sous les différentes strates qui composent la tête de beuh, et en tirant dessus on peut en arracher des morceaux, alors faut faire gaffe. Faire ça propre. Nous voilà tous affairés. On blague par-ci par-là à propos de notre rétribution, parce que bon c'est un travail ça, on est là comme des ouvriers, à répéter les mêmes gestes, à maintenir une cadence, calculer le temps que nous prend une branche et comparer avec le tas qui nous reste, prendre des pauses clope. Tout comme à l'usine. À ceci près qu'on rigole un peu plus, et que ça sent meilleur. Une fois que j'en ai terminé avec ma première branche je la dépose sur l'autre table, la petite près de l'écran à côté du canapé, où il y en a déjà un bon paquet. Je me rends compte que ça va nous prendre des heures.

Ils utilisent tous des ciseaux mais il n'y en a plus. Ça rend les doigts collants. Sur et sous mes ongles s'amasse une sorte de pâte grasse et sombre. Ça se fume ce truc me dit Ixe, et Habib confirme. À force d'effeuiller j'en ai suffisamment pour confectionner une petite boulette. Elle a la consistance du chewing-gum et la couleur de la mouche à merde, ce noir un peu verdâtre, mais en mat. J'essaie d'en faire des miettes mais c'est beaucoup trop collant, alors j'opte pour une bonne mise en tabac à l'ancienne, un coup de flamme et hop, je la fais fondre dans la clope que j'ai éventrée, et on n'en parle plus. Quand j'éclate le joint, il n'a presque pas de goût. Par contre je prends une claque, c'est instantané. Pas de round d'observation avec lui, il tabasse d'entrée.

Ixe se lève et me dit viens Jonas, on fait une pause, on va se fumer ça dehors. Je dis oui. Il a l'air d'avoir envie de se calmer mais aussi de ne pas savoir comment. Je lui suggère la machette mais il me montre ses mains calleuses pour me faire comprendre que l'acharnement sur les végétaux c'est un truc qu'il a déjà tenté. Le jardin a tellement changé. C'est à peine croyable. Comme il était, on aurait dit qu'il ne pouvait pas être autrement. Ça lui allait bien, ça racontait quelque chose de lui. Là, ils l'ont rendu fade, je trouve. Alors que c'est plus propre, et que c'est davantage un jardin. Cultiver son jardin, il est gentil Voltaire, mais il faut d'abord savoir ce qu'on veut y faire pousser. La main humaine elle fait des bouquets, des talus, des haies. Des parcs. Pour construire il faut forcer la nature. La transformer. Alors que la nature, elle, ne produit aucun déchet.

Ixe me demande de lui faire goûter le joint. Je lui donne, et je lui demande hey, dis-moi, c'est quoi le plus beau pour toi, les jardins du château de Versailles ou n'importe quelle parcelle de la forêt amazonienne ? Ça le fait rire genre elle est chelou ma question, et puis il me répond que déjà il ne sait même pas à quoi ils ressemblent les jardins du château de Versailles, mais que si c'est bien ce à quoi il pense bah les jardins du château de Versailles ça doit être plus stylé, parce que c'est propre c'est taillé c'est pensé t'as vu, alors que la jungle c'est la jungle quoi. Il tire sur le joint et ça me fait regretter de ne pas l'avoir. Je demande gros, tu crois que ce jardin ça lui fait plaisir d'avoir cette gueule-là maintenant, et à ça il me répond que c'est plus ou moins comme se faire couper les cheveux. Après un silence, Ixe confirme enfin mes doutes. Je savais bien qu'il y avait un problème. Une seule phrase suffit à tout éclaircir. Une seule phrase qui raconte tout, une phrase pour laquelle je ne demanderai aucun détail, ne poserai aucune question, tant elle se suffit à elle-même. Juste une phrase qui nous rappelle que nos actes ont des conséquences. Il a dit, Untel est en prison.

Le bruit du feu et les craquements du bois sec donnent encore plus de relief au silence. Ixe, il a toujours voulu m'éloigner de ses problèmes. Mais en m'éloignant de ses problèmes il m'éloigne de sa vie, parce que sa vie, c'est les problèmes. Il n'a aucune peine pour Untel. Simplement ça se rapproche. L'étau se resserre, et il le sait très bien. On le sait tous. L'espace d'un instant je me prends à penser que s'ils tombent tous les deux je ne saurai plus à qui acheter du shit. Là il dit qu'il en a marre, qu'il devrait voir autre chose, qu'il aimerait partir, et je ne l'écoute qu'à moitié, c'est un refrain connu, j'en connais l'air, les paroles, les chœurs. C'est une chanson que j'ai constamment dans la tête mais que je finis par détester à force d'entendre les autres la chanter. Et puis, il n'a pas fini sa phrase que tête basse il se dirige vers le feu, pour y jeter la fin du joint.

Baromètre

Quand j'étais petit, le meilleur moment de l'année c'était les vacances de Pâques. Parce que c'était le printemps, il faisait beau et puis il y avait tout le monde au quartier, il n'y en avait pas qui partaient je ne sais où. Du coup on était tout le temps dehors.

On avait ce petit bosquet, mais pour nous c'était une forêt, avec son terrain de basket en ciment au milieu, sa table de ping-pong en pierre, sa poussière et ses arbres, tous espacés de quelques mètres. Il y avait aussi cette mare, avec ses roseaux, ses canards, ses grenouilles et ses perches arc-en-ciel.

Dans la forêt on jouait à tout. Foot, basket, vélo, roller, circuits de billes, bagarre. Chez nous, c'était tous les jours les jeux Olympiques. Moi j'étais là la plupart du temps, et souvent avec Untel et Lahuiss. Du côté de la mare il y avait les pouilleux, ceux qui rentraient chez eux le soir avec les ongles noirs et le pantalon sale. Ixe et Sucré traînaient tout le temps là, et ils emmenaient Poto avec eux, qui était plus petit. On les appelait les maîtres de la mare, et ce n'était pas forcément pour leur rendre hommage. Ils ont passé leur enfance à pêcher et à fabriquer des arcs pour se défendre. Ils faisaient de rares incursions de notre côté, et souvent c'était pour nous glisser une grenouille dans le short. Ixe, surtout, faisait ça. Nous, on les dérangeait quand le ballon tombait dans l'eau. Ça nous obligeait à jeter des cailloux pour que les remous poussent la balle et la dirigent vers la rive.

Le terrain de basket avait ceci de particulier qu'il était disposé de manière à ce que l'un des deux paniers soit au bord de la mare. Le moindre tir raté finissait à la flotte. Pour pallier ce défaut, et pour contenter tout le monde, car nous étions parfois une vingtaine de gamins entre six et seize ans à traîner là, on jouait au creeks. On fait une file indienne devant le panier, et les deux premiers de la file ont un ballon. Celui qui est tout devant tire, et s'il réussit il donne le ballon à celui qui est en troisième, puis rejoint le bout de la file, et ça coulisse comme ça. On élimine celui qui nous précède si on marque avant lui. Ça fait pas mal courir, d'autant plus qu'on a le droit à autant de tirs qu'on veut, tant que celui de derrière ne nous a pas éliminé. Moi ça m'arrivait de shooter le ballon de celui qui me suivait pour l'empêcher de marquer avant moi, et même si ça a souvent donné lieu à des embrouilles on n'a jamais disqualifié personne pour ça.

Quand on jouait au foot, outre le ballon dans l'eau, le principal obstacle c'était les arbres. Alors oui, grâce à eux on avait des buts naturels, et l'un des deux avait son propre défenseur, immuable. Presque tous les arbres étaient des chênes, et celui-ci on l'appelait Maldini. Parfois, en jouant, on dribblait un, deux joueurs, avant de se faire tacler par un arbre. Le plus rageant, pour moi

qui n'étais pas un dribbleur, c'était de délivrer une ouverture millimétrée vers l'attaquant que Maldini intercep-
tait sans sourciller. Je l'ai beaucoup insulté, cet arbre.

Nos parents ont acheté ces maisons alors qu'elles
n'étaient pas encore construites. De jeunes couples, avec
des enfants en bas âge, et d'autres à venir. On s'est tous
vus grandir. Moi j'ai tout été dans ce quartier : petit,
moyen, grand. Quand j'étais petit, les grands, pour jouer,
ils nous avaient nous. On voulait à tout prix les impres-
sionner et obtenir leurs faveurs. Je me souviens de ce
jour où ils ont demandé à Ixe de foncer vers la mare
avec son vélo et de freiner le plus près possible de l'eau.
Je le revois freiner si fort qu'il en est éjecté par-dessus la
bicyclette, la gueule la première dans la mare, vaseuse, et
cette odeur quand il est sorti sous les rires de l'assistance,
et plus particulièrement des grands, pliés, allongés par
terre de rire. Et tous ces coups qu'on a pris, combien de
balayettes, de claques sur la nuque, de coups de bâton.
Et ces questions quand on approchait la puberté, pour
savoir si on avait des poils, et si on avait déjà embrassé
une fille, si on avait mis la langue. J'entends encore
Coupole, le grand avec sa boule à Z qui nous mettait la
misère au foot, me demander hey Jonas tu te branles
le zizi la nuit ?, et tous les autres partir dans un grand
fou rire, et moi tout honteux, parce que pas de poils, la
langue ouais, une fois, mais pas de poils.

Là où c'était un peu moins drôle, c'était quand ils se
mettaient en tête d'organiser un combat. Ils savaient
trop bien qu'on était prêts à tout pour qu'ils nous res-
pectent. On devait avoir dix, onze ans. Untel, Lahuiss et
moi on se faisait un petit creeks avec d'autres gamins

du quartier dont les frères Astaire. Amandine ma voisine et Kelly la grande sœur de Sucré faisaient des tours du lotissement en vélo avec les tout-petits, dont le petit frère d'Untel, qui lui n'avait pas de vélo et suivait les autres en leur courant après. Celui-là on l'imaginait marathonien jusqu'à ce qu'il soit en âge de fumer des gros spliffs. Il faisait beau. Les grands étaient assis sur le banc en bois près du terrain de basket, et commentaient la partie. De l'autre côté de la mare, Sucré et Ixe, torse nu short claquettes, mettaient à l'eau un petit bateau de leur confection, à base de polystyrène, dans le but de tester le lance-pierre qu'ils venaient de fabriquer. Suite à une partie endiablée j'avais battu Untel en finale, mais comme j'avais légèrement dévié son ballon du pied et que ça lui avait fait perdre du temps il contestait ma victoire. Il était un peu énervé, mais sans plus, en tout cas pas au point de vouloir se battre, même si on s'est dit des ferme ta gueule et des quoi qu'est-ce qu'y a. Coupole nous a demandé qui gagnerait si on se battait, et on s'est regardés, et moi je le sentais venir en vrai, mais Untel, vu qu'il venait de perdre au creeks, il n'était pas enclin à me céder le moindre pouce de terrain. Il a répondu que ce serait lui qui gagnerait, et puis Coupole s'est mis à me pousser, à me dire oh là là c'qu'il a dit ! Oh ça m'aurait pas plu !, et il continuait à me pousser pour m'énerver, et en fait c'est à lui que j'aurais dû balancer le ballon dans la gueule, sauf que c'est Untel qui se l'est pris, à bout portant, lancé fort, les deux mains par-dessus la tête, comme une touche au football, et bam. Et c'est lourd putain, un ballon de basket, personne ne veut se manger ça dans la face. Il a saigné du nez sur son polo

Lacoste beaucoup trop grand qui avait appartenu à son frère, et il m'est rentré dedans direct. Ce jour-là il y a eu une ronde autour de nous et on a dû se battre pendant, je ne sais pas, au moins quinze minutes. Ça n'en finissait pas. Il y avait des pauses parfois, et on avait chacun un grand qui faisait office d'homme de coin. Lui il avait Max, le grand qui avait toujours une nouvelle paire de baskets, avec les bulles d'air et tout. Moi j'avais Coupole, et je me rappelle qu'il m'avait conseillé de le mordre. Le polo Lacoste ne servirait plus jamais, et ma lèvre inférieure ne reprendrait son apparence normale qu'une semaine plus tard. C'est le père de Sucré, interpellé par la clameur, qui avait pénétré l'arène pour séparer les combattants avant qu'il y en ait un qui tombe. On s'est tous fait crier dessus, très fort, il était pas content le père à Sucré. Les grands avaient détalé en le voyant sortir de son pavillon. Untel et moi, quelque part, on était frustrés que ça s'arrête. On aurait pu continuer des heures, jusqu'à ce que l'un d'entre nous y reste. Ça a spéculé les jours suivants. Les uns disaient qu'Untel avait gagné, les autres ne partageaient pas ce point de vue. Les grands voulaient monter une revanche, prendre des paris. On avait une semaine pour s'entraîner, avec chacun notre coach personnel, Max et Coupole s'étaient proposés spontanément. Le combat aurait lieu sur le terrain de basket à telle date. On ne l'a pas fait. Ça suffisait. On ne pouvait plus se battre, parce qu'on venait de devenir de vrais amis.

Quand j'étais petit, le meilleur moment de l'année c'était les vacances de la Toussaint. Parce qu'en automne il ne faisait pas trop froid, et puis il y avait tout le monde, il n'y en avait pas qui partaient chez une tante ou je ne sais quoi. Du coup, on était tout le temps dehors.

Les chênes avaient perdu leurs feuilles, et nous les avions là à disposition, jonchant le sol, dans l'attente qu'on invente quelque chose avec. Le premier réflexe qu'on avait, c'était d'en faire le plus gros tas possible et de se jeter dedans, parfois depuis une branche d'arbre. Et puis on avait de l'imagination. Le jour où on en a fait un circuit pour vélos, ça nous a coûté une journée et demie de travail. Chacun était allé chercher le balai de sa mère et se ferait engueuler en rentrant, mais on était parvenus à couvrir la quasi-totalité de la surface de la forêt, avec slaloms entre les arbres, chicanes et virages en u. C'est Lahuiss, avec son BMX, qui nous avait mis la branlée à tous. Il avait bouclé le tour en moins d'une minute trente, c'était insensé. Faut dire que c'était un sacré pilote. Moi, je préférais les circuits de billes. Une partie de la forêt avait un sol de terre sablonneuse, on pouvait y tracer ce qu'on voulait. On se mettait à l'indienne et le premier de la file dessinait le circuit avec son pied, avançant comme s'il traînait la patte, et en le suivant les autres consolidaient le parcours. Chacun y allait de sa suggestion, tiens passe autour de cet arbre-là, non celui-là, voilà, et prends le virage sur la bosse là, il va être technique ce virage. Une fois le tracé terminé, on se dispersait chacun à un endroit du circuit pour monter un piège. Outre l'éternel trou recouvert par des brindilles par-dessus lesquelles on pose des feuilles de chêne séchées, moi j'aimais bien creuser un trou en dehors du circuit et fabriquer une bosse avec la terre récoltée, posée sur le tracé, juste avant un virage. C'était déjà difficile de passer la bosse, mais alors garder la bille dans le circuit après y être parvenu, c'était presque impossible. Et si on sortait du circuit on revenait où on était. L'art de faire du surplace et s'en amuser. On avait fini par caler un bout de bois en sortie de virage pour augmenter les chances de réussite, et même ça ce n'était pas évident, fallait bien doser son tir. Je me faisais souvent insulter à cause de ça. Mais une course de billes ça nous prenait la journée, facile. Et c'était tout ce qui comptait.

Toutes ces occupations, c'était bien joli, mais une fois qu'on avait assez d'effectifs, on passait aux choses sérieuses. Avec les feuilles était tombée des arbres durant l'automne une quantité astronomique de glands. Certains étaient craquelés, d'autres durs comme de la pierre. C'était ceux-là qu'on ramassait en priorité, après avoir déterminé les équipes. Un jour, et un peu contre mon gré, je me retrouvais avec Sucré et Ixe tandis qu'Untel avait recruté Lahuiss plutôt que moi dans l'équipe qu'il formait avec les frères Astaire. Très vite, Ixe m'a emmené au pied d'arbres où les glands étaient particulièrement gros et durs. On va leur faire mal avec ça, que je l'entends encore me dire. On avait mis nos vêtements avec le plus de poches pour en stocker un maximum. J'ai constaté ce jour-là que Ixe avait toutes les qualités requises pour devenir un sniper. La précision de ses lancers, c'était diabolique. J'étais heureux d'être de son côté, les autres prenaient cher. Sucré, c'était le combattant, celui qui charge l'ennemi pour s'approcher au plus près et lui faire le plus mal possible, quitte à se prendre des glands en retour. Moi je restais le plus souvent caché derrière un arbre, essayant de privilégier l'attaque surprise. Je n'étais ni précis ni courageux, plutôt sournois. Mon plan c'était d'abord de ne pas me faire toucher. Déjà.

Quand on faisait une bataille de glands, je pensais toujours à nos parents qui, s'ils jetaient une oreille par la fenêtre, entendraient ces rires entremêlés de cris de douleur, qui se succédaient sans jamais prendre le pas sur l'autre, et dans lesquels tout résonnait d'une joie de passer sa colère sur des victimes consentantes.

Quand j'étais petit, le meilleur moment de l'année c'était les vacances de Noël. Parce qu'en hiver, pas tous les ans mais presque, la mare gelait, et il y avait de la neige. Et puis il y avait tout le monde au quartier, il n'y en avait pas qui partaient au ski ou je ne sais quoi. Du coup, on était tout le temps dehors.

Quand la mare gelait suffisamment pour qu'on puisse marcher dessus, on le vivait comme une extension de notre terrain de jeu, et l'occasion d'en inventer des nouveaux. Pratiquer la glissade, c'est une chose, mais se lancer des défis, ça rend le jeu excitant. Le plus basique c'était de parvenir à s'élancer depuis le terrain de basket puis de glisser sur le dos jusqu'à l'autre rive. Ce n'était pas facile, il fallait prendre beaucoup d'élan, et surtout, mettre un sacré coup de rein au moment d'arriver sur la glace, pour espérer avoir assez de vitesse et atteindre l'autre côté. On en a entendu des crânes se fracasser contre la glace, des coccyx, des omoplates. Et on en a vu des mecs faire croire qu'ils n'avaient pas mal. On l'a tous fait, parce qu'on s'est tous fait mal. Lorsqu'il y avait de la neige en plus de la glace, on s'amusait à canarder le mec en train de glisser. J'ai dû lancer dans les trois cents boules de neige à chacun de mes potes. On riait donc on n'avait pas froid. Bien souvent j'ai eu l'impression que si je donnais un coup de poing à quelqu'un ma main tomberait en miettes, tellement elle était gelée. Mettre des gants c'était passer à côté du truc.

Nos petits à nous ils étaient trop petits, à l'exception de Poto, qui était seul dans sa tranche d'âge. Quand on avait dans les quatorze quinze ans, lui il en avait dix, et en dessous de lui c'était du cinq six sept ans. Si ç'avait été une baltringue il aurait fait l'attardé à traîner avec les petits. Mais lui non, il venait toujours vers nous, il voulait traîner avec les grands, pourtant il en a pris des balayettes, des claques derrière la tête, des manchettes-coups de tête. Exactement comme nos grands l'ont fait avec nous. Sauf que nous on était une ribambelle, alors que lui il était tout seul. Il a pris pour tout le monde. Cible privilégiée parce que unique. Il était bien pratique pour nous. Au moment de tester l'épaisseur de la glace sur la mare, on l'envoyait. Quitte à lui demander de sauter pour être sûr. Il l'a percée plus d'une fois. Et nous on rigolait.

Adolescents, Ixe, Sucré et moi on était tout le temps fourrés ensemble. On ne se lâchait pas. En hiver on sortait le soir et on restait là, sur le banc près du terrain de basket, à fumer des joints et improviser du rap sur un vieux beatbox tout pourri. Bouger la tête et un peu les bras ça va deux minutes mais ça ne réchauffe pas son homme. On avait déjà commencé la boxe à l'époque, alors quelquefois dans la soirée on se faisait un petit shadow, un petit touche-épaules, comme ça histoire de se réchauffer. Et puis, forcément, il y a un moment où ça part en couilles et on s'empoigne par la doudoune, et je me suis même vu par terre, sur la route, avec Ixe qui veut me soumettre par étranglement, et moi qui lui dis que si je nique mon manteau mon père va me tuer. On n'avait plus froid après ça. J'ai déjà dû essuyer ma sueur avec mon bonnet.

Quand j'étais petit, le meilleur moment de l'année c'était les vacances d'été. Parce qu'il y avait les grenouilles qui chantaient, le soir, et parce qu'on n'était pas tous au quartier, il y en avait toujours qui partaient à la plage ou une connerie dans le genre. Pas moi. Vu qu'on était en sous-effectif, c'était là qu'on se rapprochait, qu'on passait plus de temps à deux, à trois, même si on galérait la plupart du temps. Mais quoi qu'il arrive, quelle que soit l'équipe, on était tout le temps dehors.

C'est l'été que j'ai appris à traîner le soir. Une fois, Ixe est arrivé en disant hey les gars, vous savez quoi, j'ai du shit. Il avait pris ça dans une boîte qu'il y avait dans la chambre de son grand frère, et ça nous faisait un peu flipper, parce que son grand-frère c'était un mec pas très commode. Il ne traînait pas chez nous, on le connaissait à peine, il était surtout fourré avec les mecs des Tours. On avait peur qu'il se fasse griller Ixe, mais très vite on avait oublié tout ça et on s'apprêtait à fumer un joint pour la première fois ensemble. Au dire des uns et des autres, on avait tous déjà fumé, mais pour ma part ça s'était limité à tirer une latte. Mon père avait laissé son joint dans le cendrier et était parti faire une course. À peine il avait passé la porte d'entrée que je m'étais rué sur le joint et l'avais allumé pour le goûter. J'ai beaucoup toussé, c'était le feu dans ma tête. J'avais quatorze ans. Les mecs avaient décidé à l'unanimité que c'était à moi de rouler le joint parce que je devais avoir vu mon père le faire, et donc avoir quelques notions. La vérité c'est que je n'avais aucune foutue idée de comment on allait se démerder. J'ai le tout petit bout de shit dans la main, et Ixe dit qu'il faut le chauffer, alors je fais comme quand on a froid aux mains en hiver, je les joins puis souffle dedans où j'ai calé la croquette, mais Untel rigole et me dit que c'est avec le briquet qu'il faut chauffer le shit. Bah t'as qu'à le faire toi au lieu de casser les couilles, et c'est parti on s'embrouille. Tant bien que mal je finis par fabriquer un truc qu'aujourd'hui je ne fumerais pour rien au monde, mais à ce moment-là, putain, c'était le Graal qu'on tenait entre nos mains. Il y avait un adage qui disait qui roule boule, qui fournit suit. Rien que pour ça j'étais content d'avoir roulé, car le droit de l'allumer me revenait. La première latte me fait tirer une grimace irrépressible qui fait beaucoup rire Lahuiss. J'en tire une deuxième et vois autour de moi des mains qui s'approchent, vas-y c'est à moi, non c'est à moi, et je le donne à Ixe. On tirait deux lattes chacun et ça tournait, et il a pas fait long feu le joint, parce qu'on avait tous assez de vice pour se dire que deux lattes c'est une chose, mais la taille de ces lattes c'en est une autre. Untel tirait des taffes qui en faisaient trois à elles seules, et ça protestait de tous les côtés, vas-y Untel t'es un bâtard. Dans la demi-heure qui a suivi on a beaucoup rigolé, beaucoup, parfois à s'en allonger par terre, et même en exagérant un petit peu, mais bon, on était heureux. On savait comment on allait occuper nos soirées désormais. C'en était fini de l'ennui. On tenait quelque chose. C'est Untel le premier qui en a vendu. Il y en avait tout le temps. Pour ses dix-huit ans on avait roulé un dix-huit feuilles, une batte le truc. Il fallait le tenir à deux mains, l'une au niveau du filtre et l'autre sous le foyer, sinon il penchait en avant et ça risquait de le casser. Quand on s'est mis à traîner non plus tous ensemble mais plutôt éparpillés, on pouvait toujours compter sur Untel. Avec Sucré et Ixe on achetait pour nous trois, et c'était Ixe qui gardait le morceau. Sucré et moi on lui faisait confiance, on savait qu'il allait pas en couper de petites lamelles et se les garder pour lui, parce qu'il avait ce truc de toujours penser pour le groupe. On avait tout en commun, shit, cigarettes, feuilles. Parfois je voulais fumer une clope et il refusait systématiquement. Il disait que c'était du gâchis, qu'elles ne devaient servir que pour les joints, parce qu'on n'avait pas d'argent, et c'était cher ces conneries-là. Quand j'insistais jusqu'à devenir carrément relou, il craquait, et on s'en fumait une à trois.

Et puis on s'est habitués. Ce n'était plus nos soirées qu'on passait à fumer, mais aussi nos journées. Nos nuits. Nos heures de cours. Peu à peu on n'avait plus un joint, mais trois, et puis est venu le temps où on a eu chacun le sien. Fumer n'était plus l'occupation, on fumait en se demandant ce qu'on allait bien pouvoir foutre. On n'était plus dehors. On s'est enfermés. On a opté pour d'autres jeux. Des jeux auxquels on peut jouer assis. On ne se lance plus de glands. On ne se lance plus de boules de neige. On ne se balance plus des ballons de basket dans la gueule. On ne se lance plus que des insultes.

Savoir vivre

Romain pose un verre devant moi, il dit tiens Jonas, vas-y sers-toi ce que tu veux, y a du sky, y a du rhum, y a de la vodka, j'ai du vin, de la manzana, et je lui dis vas-y stop, c'est bon, je vais prendre du Coca. Il me dit ah tu te la colles pas avec nous ce soir ? Je lui dis calme-toi, déjà j'vais me rouler un oinj et puis vous allez m'expliquer c'est comment les bails, qu'est-ce qui s'organise et tout, parce que là c'est pas clair votre histoire.

Miskine et Romain veulent aller en boîte mais Poto trouve que ça pue sa mère comme idée. Il voudrait qu'on aille à une soirée chez quelqu'un. Sauf que Ixe lui rappelle qu'on ne connaît pas des gens qui font des soirées chez eux, le seul moyen qu'on a c'est de s'incruster, et il n'a pas envie, passé l'âge. Sucré va dans le sens de Poto, les soirées dans les maisons c'est les meilleures, et moi je lui dis que le but ce n'est pas de dire ce qu'on voudrait faire, mais ce qu'on pourrait faire. Habib relance l'idée de la boîte, il dit qu'il y en a une à une heure d'ici, au milieu des champs, où les meufs elles sont trop habituées aux campagnards alors quand des mecs comme nous arrivent elles sont direct sur leurs côtes. Miskine

145

dit non wesh, moi j'veux pas pécho une meuf qui nour-
rit les poules la journée et qui fait sa pétasse le soir, et
on rigole. Poto est exaspéré, il dit vas-y je sens qu'on va
rien branler encore.

Petite ville. Dans les rares bistrots ouverts on trouve
un ramassis de têtes d'ampoules. Des gens braves hein,
mais bien rouges quand même. Il y a une ville à vingt
bornes d'ici, une ville moyenne on va dire, assez bourge
au départ, où il y a des bars ouverts le soir, et de la jeu-
nesse dans les rues. La grande ville, c'est trop loin. Il
aurait fallu s'organiser à l'avance. Ixe propose qu'on aille
là-bas, et puis après on verra. Moi ça me tente, d'aller
boire un verre et puis voir. Sucré aussi. Du moment
qu'on ne reste pas là. Habib ne dit pas trop ce qu'il en
pense. Poto ça le soûle, et je lui dis qu'il est relou à ne
jamais être content. Miskine et Romain, eux, ils sont plutôt pour qu'on reste là et qu'on se la colle, et après on va
en boîte. Poto il dit c'est flingué comme idée, on est tout
le temps là vas-y viens on va ailleurs, et je lui fais bah tu
vois, déjà t'es plus avec nous qu'avec eux, allez viens on
s'casse. Et les bouteilles on les prend avec nous.

On dit qu'on s'en jette quand même un ou deux avant
d'y aller. J'éclate mon joint. Pas la meilleure idée pour
entretenir une envie de sortir. Je propose que celui qui
tire la plus petite carte prenne un shot de rhum, mais
Ixe dit oh non t'es relou avec tes cartes, et je dis c'est
pas ma faute y a un jeu sur la table, et puis j'en tire une
juste après avoir annoncé que si c'était un pique je me
prenais un shot. C'est un cœur. Habib il dit Jonas, si tu
tires une noire tu bois. Je dis ok, et je tire un 7 de carreau, et je dis putain, truc de ouf, les cartes elles veulent

146

pas que je boive. Romain se lève d'un coup, sur sa gueule t'as l'impression qu'il vient d'avoir une idée de génie, et il s'écrie oh putain les gars, je connais un jeu de dingue.

Poto et Ixe ont protesté mais on a fini par dégager la table basse. On est tous autour, trois sur chaque canapé, et Sucré sur une chaise, dos à l'écran, qu'on a éteint pour l'occasion. Romain nous a distribué trois cartes à chacun en nous disant de les mémoriser. Seulement la valeur, genre si c'est un roi de carreau bah tu retiens juste roi. Je dis ok. Il dispose ensuite les cartes restantes sur la table, fermées, en faisant une ligne de six d'abord, puis au-dessus une ligne de cinq, et puis encore au-dessus une de quatre, et ainsi de suite jusqu'à poser une carte tout en haut de ce qui ressemble à une pyramide maya. Il explique le jeu. Alors tu vois y a les cartes sur la table on les voit pas, on va les retourner au fur et à mesure, une par une. En fait, ce qui se passe, c'est que selon la carte qu'on retourne, toi si tu l'as dans ton jeu tu peux désigner quelqu'un pour qu'il boive. Ah tu veux dire genre si tu retournes un 3 et que j'ai un 3 dans mon jeu je peux dire à Ixe Ixe tu bois. Voilà c'est ça il dit, et la première ligne de cartes c'est une gorgée, ensuite deux gorgées et ainsi de suite jusqu'à six. Ok d'accord dit Ixe, mais on boit quoi du coup ? Et Romain il dit qu'on doit chacun se faire un verre de ce qu'on veut, rhum vodka whisky, mais par contre sans le diluer, on boit pur, et moi je dis ah ouais t'es chaud toi, imagine tu te manges six gorgées en haut de la pyramide t'es dans la merde gros. Et là Habib il dit mais gros t'entends quoi par gorgées aussi, parce que moi ça je le bois pas en gorgées comme j'bois une gorgée d'eau tu vois c'que j'veux dire, et moi je dis ouais en fait c'est une lichette quoi, et Romain il dit bah non les gars, là dans le jeu c'est plutôt comme un shot quoi, un shot c'est une bonne gorgée, ah ouais ok t'es comme ça toi, fait Ixe qui n'a pas l'air tout à fait chaud, et moi je dis vas-y ramène des verres à shot ce sera plus facile pour quantifier, et Poto il s'énerve d'un coup, mais putain les gars pourquoi vous pinaillez comme ça wesh vous êtes des pédés sérieux, vas-y une gorgée c'est une gorgée arrêtez de faire vos baltringues là, et moi je lui dis mais arrête gros, on organise on fait ça propre, et Ixe il dit bon allez c'est bon les gars on le fait avec des shots, comme ça c'est la même mesure pour tout le monde. Je dis ok, Sucré fait ouais, Habib il dit vas-y, Miskine il fait si si, Poto il dit allez retourne une carte là. Romain, qui était parti vers la cuisine, pose sept verres à shot sur la table.

Tout à coup il n'y a plus personne pour parler de ce qu'on va faire après. Rien que ne pas se mettre d'accord alors qu'on a si peu de marge de manœuvre, c'en est désespérant. On se dépêche de passer à autre chose. Ce n'est pas qu'on y a renoncé. On a juste repoussé la décision à un moment où ce sera moins frustrant de la prendre. Où le fait de la prendre par dépit ne sonnera pas comme un échec.

Torchés on a fini. On s'est distribué de l'ivresse. Un altruisme sans bienveillance aucune. Le premier étage c'est encore ludique, on n'en veut pas trop à celui qui nous désigne. Tant qu'on a de la marge on croit pouvoir faire front. Et puis on finit par vouloir se faire petit, ne pas s'attirer les foudres. Hisser le drapeau blanc. Romain a touché pas mal de cartes dans les premiers étages, et il a systématiquement désigné Miskine. De l'acharnement.

Personne ne lui a reproché parce que c'était drôle. Poto s'est lâché sur Habib, et les autres dont moi on a plutôt opté pour une distribution un tant soit peu égalitaire. Ça fait qu'on a tous dû en prendre au moins une douzaine, à part Sucré qui n'aurait pas dû m'accuser de bluffer quand le premier 10 est sorti, au quatrième étage. Ça lui a valu d'en prendre huit. On lui a laissé un peu de temps pour les prendre. On lui a même accordé une dérogation quand au tour suivant Ixe a essayé de lui en remettre une couche. On n'est pas des salauds non plus. Aussi dangereux soit-il, on y a pris du plaisir à ce jeu. On a hurlé. On s'est insultés. On a réglé des comptes. La moitié de mon paquet de clopes y est passée. On a ri. Il y a eu de la grimace et des fanfaronnades. Ceux qui gueulaient le plus fort ont plié. C'est toujours plaisant de voir un type qui a déclaré la guerre demander une trêve. Ça remet les choses à leur place. Au dernier étage il n'y a qu'une carte. Là c'était un 8. Romain a désigné Miskine. Six shots dans ta gueule il a dit. Miskine a répondu toi, tu bois deux fois. Comment ça on a demandé. J'ai deux 8 il a dit, douze shots pour toi Romain. Romain n'y a pas cru. Il n'avait pas fini de l'accuser de bluffer que Miskine a retourné les deux cartes. Un 8 de trèfle, l'autre de carreau. Bouche bée le Romain d'abord, tête dans les bras ensuite. Nous tous en train de hurler. Hurler notre excitation à l'idée qu'il s'en prenne vingt-quatre comme ça d'un coup. On a beau s'aimer de toutes nos forces, on poussera volontiers l'autre dans le vide si ça peut nous éviter d'y tomber.

On est assez pétés pour trouver que finalement elle est plutôt bien partie cette soirée. Excités comme on se trouve maintenant, on n'hésite plus. On veut tout faire. Alors on va aller boire un verre puis partir en boîte et essayer de trouver quelqu'un chez qui finir la soirée. Comme ça tout le monde est content. Ce qui provoquait v'là les débats recueille soudain tous les suffrages. Et les obstacles qui semblaient se dresser deviennent dérisoires. On se donne une chance. Parce que le plus probable, c'est qu'on se fasse chier si on boit un verre, qu'on se fasse recaler si on va en boîte, et que personne ne nous invite chez lui. Là on est plutôt dans un mode où s'il le faut on arrache le videur. On casse les verres. On s'incruste. Ce qui nous fait rester sur le seuil c'est la honte.

On a fait crédit à Romain. Il en a pris six tout de suite, il lui en reste dix-huit. Au moment de monter dans les voitures, Miskine et Habib le prennent avec eux. Pour garder un œil sur lui. Pas pour se soucier de son état, non. Pour être sûr qu'il prend bien ses shots. Les autres, on monte avec Ixe qui, même s'il ferait mieux de ne pas se faire remarquer vu son état, ne peut s'empêcher de démarrer comme s'il prenait la fuite après un vol à main armée.

Prends la déviation y a les chtars au rond-point. Bien vu. La discussion s'amorce sur le genre de bar qu'on veut trouver. Pas facile. On n'est pas des gars des bars. S'il y en avait un qui permettait de fumer des joints, passer du rap et jouer aux cartes sur la table, sûrement que c'est là qu'on irait. Poto annonce qu'il ne veut pas qu'on se retrouve dans un truc avec des rockeurs des punks ou j'sais pas quoi là, et idéalement faudrait qu'il y ait des meufs, du bon son, que les consommations ne soient pas trop chères. Ok Poto, on va y réfléchir. Ixe manque de faire un écart, il n'a pas été loin de tous nous tuer sur ce coup. Je lui reproche sans trop insister non plus et il me demande pourquoi je ne m'estime pas heureux d'être en vie au lieu de me plaindre. On passe par les bois. Il peut nous arriver de voir des biches sur le bord de la route. Pas souvent, mais ça arrive. Faut être attentif. Pas facile avec ces zoulous qui font du bruit, et encore moins avec Habib qui nous double par la droite, sort sa tête de l'habitacle pour faire des signes de gang, et Romain derrière qui se verse un shot en criant dix-sept, comme un compte à rebours vers le coma. Le tout sans regarder la route.

On s'est garés sur l'ancienne place du marché. Romain, qui a pris encore trois shots de plus dans la voiture, a failli se faire écraser en traversant la rue n'importe comment. Miskine a bousculé un type et lui a demandé de s'excuser, ce que le mec a fait quand il a vu l'équipe. Romain s'est pris un poteau parce qu'il parlait à Habib qui était derrière, et il a failli refaire la même avec un abribus. Je rappelle à ceux qui en portent que c'est mieux s'ils enlèvent leur capuche au moment d'entrer dans un établissement. J'en entends me répondre qu'on les emmerde ces connards s'ils ont un problème.

On arrive devant un premier bar, dans une rue piétonne. À l'intérieur il y a un concert, le genre de groupe avec trois mecs, guitare basse batterie. Dehors, des tables comme celles sur lesquelles on fait des pique-niques sur les aires d'autoroute. Blindées de monde. Poto passe son menton par-dessus mon épaule et me dit tu vois Jonas, c'est de ça que j'parlais tout à l'heure, on va pas là c'est mort. Habib lui il rigole, il fait mais bien sûr qu'on va pas là t'as cru j'allais chanter de la country ou quoi, et Sucré dit mais les gars c'est pas de la country putain vous racontez que de la merde, et puis arrêtez d'être fermés comme ça, ils vous ont rien fait les gens, et Miskine fait wesh téma celui-là là-bas, avec ses trous dans les oreilles, et l'autre là-haut avec son béret, vas-y ils sont chelous les gens ici. Je regarde Ixe et il me dit vas-y on avance, et du coup on passe tous les sept devant, et les gens nous regardent. Il y a même une meuf assise du côté donnant sur la rue qui se rapproche du mec assis à côté d'elle, comme ça discrètement, et c'est dommage parce que je la trouvais plutôt pas mal, malgré ses cheveux verts et son rouge à lèvres noir que de toute façon je n'aurais pas forcément assumés jusqu'au bout. Dans la foulée un autre bar. Pas de tables dehors, les gens s'assoient sur le trottoir ou restent debout pour fumer leur clope. Je me penche pour regarder dedans pendant que Poto me dit qu'il y a des meufs ici, et j'en vois une habillée comme une pétasse et surmaquillée, et je dis gros on va pas s'entendre, mais là il me désigne un groupe de cinq filles vers le fond du bar, près des tables de billard, parce qu'il y a des tables de billard. Il dit téma le banc de poissons, et je trouve pas ça folichon, alors je dis les gars, on fait un tour on voit ce qui se fait, et puis après on voit ce qu'on fout, sauf que personne ne m'écoute, les mecs marchent machinalement en se racontant des conneries et en trouvant plein de raisons de ne pas aller dans les endroits devant lesquels on passe.

On sort de la rue piétonne pour déboucher sur une autre, et il y a des terrasses de restaurant. À notre passage on nous observe. Faut dire qu'on fait du bruit. Romain est hystérique, Poto et Miskine parlent fort quand ils lui disent de fermer sa gueule. Habib rit comme une hyène tandis que Ixe doit hurler pour faire entendre ses blagues toutes flinguées qui nous font marrer quand même. Je demande à Sucré, Sucré, comment ça se fait que par exemple si je creuse pour aller en Chine ou en Australie ou je sais pas où, bref juste en dessous quoi, il me coupe et dit ouais, ou au Pakistan, et je dis oui bref tu vois ce que j'veux dire, et il fait ouais, ou bien aux Philippines, et je dis non mais on s'en fout en fait, admettons que je creuse tout droit tu vois, peu importe où ça me mène, et il fait ouais, mais ça s'trouve tu vas arriver en pleine mer, et il rigole, et je dis mais putain t'es relou j'ai une vraie question à poser gros, et je fais semblant de lui envoyer une combinaison gauche droite crochet au corps. Il dit bah vas-y, et je dis donc, si je creuse pour aller en Chine, t'es bien d'accord que je vais creuser vers le bas, t'es d'accord, Il dit ouais, et je dis alors que quand je vais arriver en Chine, je vais sortir de sous terre, donc je vais creuser vers le haut. Il y a un silence. J'ai fait des gestes explicites, genre je tiens une pelle dans les mains et je creuse, vers le bas d'abord, vers le haut ensuite. On se regarde, et je demande, à quel moment je me retourne en fait ? Carrément il s'arrête de marcher pour réfléchir et Romain lui rentre dedans, bah alors Sucré qu'est-ce qui te prend de piler comme ça dans la rue quand tu marches, et puis il avance et il passe son bras autour des épaules de Poto et lui dit hey Poto, ce soir on va choper des meufs ah ouais, et Poto lui répond mais vas-y wesh t'es bourré, si y a des meufs viens même pas les voir avec moi tu vas m'afficher.

La rue donne sur une petite place. Il y a deux bars. Ce sont les derniers, à moins qu'on remonte la rue principale où on peut trouver un bistrot avec des anciens qui se la collent loin de l'agitation du centre. Pas nos plans au départ. Je propose l'un des deux établissements qu'il y a ici mais Ixe m'arrête tout de suite. Lui et Poto ne peuvent pas y entrer à cause d'une bagarre qui a eu lieu le mois dernier. Je dis merde, c'est pas possible, bon bah il reste plus que celui-là, et je pointe du doigt un bar tout en disant que celui-là c'est mort, il est pas pour nous, parce que c'est un endroit où se réunissent tous les petits bourges pour se rencontrer entre eux et boire des verres super chers. Alors que je pensais être dissuasif, ça les motive les mecs, j'entends des vas-y on s'en bat les couilles on y va, des en plus les meufs elles ont l'air bonnes, et d'autres trucs dans le genre. Je hausse les épaules, et Sucré, qui en a marre de déambuler, dit qu'il y a moyen de rigoler.

J'entre le premier, avec Sucré Ixe et Poto, pendant que les autres finissent leur clope dehors. J'ai à peine passé le seuil de l'établissement que déjà on me regarde. C'est blindé. En entrant, on ne voit que des gens debout, et le comptoir est à une dizaine de mètres de l'entrée. Sur la droite, la pièce s'élargit et laisse place à une toute petite piste de danse, colonisée par ceux qui se tiennent là, verre à la main, faute de place. Au fond, des tables, et des gens assis. J'ai déjà repéré plusieurs meufs. J'ai l'impression qu'elles sont toutes belles. À croire que la sophistication ça embellit. Ce n'est pas d'être nées avec de l'oseille qui les rend jolies, quand même pas, mais c'est sûr que ça change des zoulettes qu'on a par chez nous. J'ai le menton levé et le torse bombé, je fais le mec qui entre pour qu'on le voie. Tout est boisé, le bar est magnifique, il y a des lustres au plafond. La musique n'est pas très forte, elle est surtout là pour donner un ton et couvrir les blancs dans les conversations. C'est un genre d'électro un peu lounge et minimale, du jazz pour les incultes. Je me fraie un chemin vers le bar, et je n'ai pas à forcer, les gens s'écartent tout seuls. Je me demande comment je réagirais si j'étais comme eux et que je voyais arriver une bande de zoulous comme la nôtre, que des mecs qui regardent mal. Des mecs comme Ixe et Poto, ils sont tellement sur la défensive que ça les rend agressifs. Une fois les coudes posés sur le bar j'interpelle le type qui sert une pinte de bière à la pompe, et je lui dis chef, j'vais te prendre n'importe quoi qui a du rhum et qui est assez fort pour que je regrette pas le billet que je vais sortir. Toujours affairé, le mec fronce les sourcils, me dit que déjà quand on a de l'éducation on dit bonjour, et il part filer sa pinte à celui qui l'a commandée. J'ai envie de l'attraper par les cheveux et lui écraser la gueule contre le bar, mais je me dis que c'est ma faute, on devrait toujours se tenir prêt à être confronté à des gens qui se formalisent. C'est juste que ce n'est pas notre genre à nous, et heureusement d'ailleurs, vu la cadence à laquelle on se traite de fils de pute. Il a fait le fier mais il ne va pas non plus jusqu'à m'ignorer totalement, puisque à peine une minute plus tard il pose un planteur devant moi. C'est combien, je demande, et il dit dix. Ça aurait été moins cher si j'avais

dit bonjour ? Il répond non, et en tendant le billet je dis
bah tu vois, c'est bien la preuve que ça sert à que dalle.
Il prend le billet en baissant les yeux, et je comprends
qu'il ne capte pas mon humour.

On est tous là contre le bar, les autres attendent d'être
servis. Les gens se sont écartés. Ils nous laissent peut-
être le bar en espérant qu'on n'ira pas plus loin. Le barman il passe un sale quart d'heure avec nous. Autour de
moi la plupart des mecs ont des styles que je ne pourrais pas assumer. Des pantalons serrés, des vestes genre
costard, des chapeaux, des lunettes un peu fantaisistes,
des jeans retroussés on voit les chevilles. Je me demande
où ils les achètent leurs sapes. Moi quand j'en achète je
ne les vois pas ces articles-là. Les meufs c'est la même,
elles sont hyper soignées. Ils ont l'air tellement propres
ces gens. Que des gueules à s'appeler Charles-Édouard et
Églantine. Ils se tiennent droits et gardent les bras le long
de leur corps quand ils ne les croisent pas. Les hommes
rient dans leur barbe et les femmes se mettent la main
devant la bouche. Il n'y en a pas un qui gueule plus fort
que les autres. C'est pour ça que j'entends Poto dire à
Miskine de la fermer quand celui-ci se plaint de la dose
de whisky qu'il y a dans son verre. À côté de moi un type
ne fait que de rire à ses propres blagues en tchatchant
une blonde avec qui il aimerait certainement coucher
ce soir, et ses blagues moi je ne les trouve pas drôles. Il
a le rire qui glousse. Quand il dit un truc un peu osé il
jubile. Excité à l'idée d'être dans la transgression. C'est
un rire qui vient de la gêne, ça. Nous on a le rire gras.

Je vois les autres se concerter puis sortir. Ixe me fait
un signe de tête genre viens. On se retrouve sur le trottoir

en face du bar, il y a une sorte de bac à fleurs pas très large sur lequel Ixe et Poto posent un cul chacun. À côté il y a des gens qui eux aussi passent la soirée là et qui sont sortis fumer leur clope. Habib a posé son verre par terre, il commence à effriter du pilon. Ixe fait pareil, et ça donne envie à Miskine. Avec Sucré on leur demande s'ils sont sérieux. Je dis wesh les gars vous avez pris la fuite, et Ixe dit qu'il aime bien fumer en même temps que son verre. Sucré les traite d'asociaux, ce à quoi Poto répond vas-y c'est toi l'asociaux je sais même pas ça veut dire quoi en plus. Je dis ok pour une clope et après j'y retourne, Sucré dit vas-y j'suis avec toi, et il tend la main pour que je lui en file une. Romain n'a pas de verre, alors je lui dis Romain t'as pas de verre, et il me dit mais t'es sérieux Jonas, il me reste quatorze shots à boire. Ixe lâche une petite rime genre ouais Romain il te reste quatorze shots à boire / tu vas finir dans les chiottes ce soir, mais Poto le coupe et dit à Romain vas-y sors la bouteille prends-en un là, vas-y dépêche-toi, tu prends pas de verre avec nous tu prends un shot allez. Romain trouve ça fair-play, il dit ok et s'accroupit, retire son sac à dos qu'il pose à ses pieds, en sort une bouteille de whisky et un petit verre, et bam il s'en met un. Encore treize dit Habib comme pour le décourager, et Romain fait le bonhomme, plus que douze il dit, et il s'en remet un autre, toujours accroupi. Il grimace le p'tit, fait Sucré. Je dis grave. T'es à la moitié on lui dit, et on l'encourage. Quand il se relève, il n'est pas stable.

J'écrase ma clope et je fais un signe de l'œil à Sucré. On y va. Il ouvre la porte du bar et me laisse passer devant, en mode vas-y d'abord, et je lui fais wesh t'as cru t'allais me serrer ou quoi, et ça le fait marrer. On n'ose pas trop se fondre dans la foule. Peur de dépareiller. Alors on se pose au comptoir. Il me dit gros, y a autre chose qui est chelou dans ton histoire. Je demande quelle histoire, et il me dit le truc c'est que si tu creuses vers le haut, pourquoi tu tombes pas dans ton propre trou en fait, et moi je reste quelques secondes à ne pas comprendre qu'il est encore sur cette histoire de traverser la Terre en creusant, et puis il enchaîne en me disant que de toute façon ce n'est pas possible parce que le centre de la Terre c'est du magma, et puisque j'ai raccroché les wagons je lui dis qu'il ne faut pas voir ça comme ça, qu'il faut imaginer que la Terre c'est du terreau tu vois, ce à quoi il répond que ça règle pas le problème de savoir pourquoi on ne tombe pas dans son propre trou. Après un instant où j'ai les yeux dans le vague, et où ce vague s'avère coïncider avec un petit cul caché sous une jupe à plis roses, je lui dis que c'est ce qu'on passe notre temps à faire, tomber dans le trou qu'on a nous-mêmes creusé.

On discute à peine, on regarde. Je n'ai pas l'impression que la musique a changé depuis qu'on est arrivés. Je n'aime pas comment le barman me regarde, au bout d'un moment ça me fait lui lancer un coup de menton, genre qu'est-ce t'as toi, et il se détourne. Il y a une telle fragilité qui se dégage des gens bien élevés. Sucré me tape du coude, et il me dit qu'il ne sait pas si c'est lui qui n'aime pas cet endroit ou si c'est l'endroit qui ne l'aime pas. Je regarde vers le barman et le surprends en train de me fixer. Je lui réponds que c'est certainement mutuel, l'endroit et nous, on ne s'aime pas. Il fait ouais, termine son verre en trois gorgées, le pose sur le bar, et il dit vas-y, on se casse. Je dis oui.

Dehors les autres sont sur le point de terminer le joint. Avec Sucré on annonce que notre intention c'est de se barrer d'ici parce qu'on se fait vraiment chier. Ça y est c'est parti les mecs se mettent à râler, et Ixe qui me dit qu'il a pas payé son verre je sais pas combien pour le boire sur le trottoir, et moi qui lui réponds que c'est exactement ce qu'il vient de faire. Moult palabres et v'là le bordel, au final on n'obtient pas gain de cause et ils entrent dans le bar, contre la vague promesse qu'on va les rejoindre.

Il fait bon dehors. Un peu d'air ça me fait du bien. Sucré est parti sur une théorie où il ne faudrait pas creuser tout droit, mais en spirale, un truc dans le genre. Enfin non, pas vraiment en spirale mais incliné tu vois, genre c'est pas tu creuses un trou direct, faut y aller petit à petit, et je lui réponds que je ne comprends rien à ce qu'il raconte. Et t'arrives où du coup ? je demande quand même. Ah bah ça je sais pas, ça dépend dans quelle direc tion tu creuses. Bah ouais.

Je suis en train de tirer la dernière latte du joint, mais vraiment la dernière, même Miskine il n'arriverait pas à tirer là-dessus. Quand je jette le joint par terre, je vois qu'il y a un groupe de gens qui passent, et je ne les cal cule pas, ils sont sapés comme s'ils allaient à un cocktail mondain, peut-être bien qu'ils sortent du bar d'ailleurs, et pourtant j'entends une voix qui fait wesh, Jonas, ça va ou quoi ?, et quand je me retourne il y a Lahuiss qui s'est détaché du petit groupe et qui s'approche de moi, la main en avant pour tcheker. Je fais oh merde Lahuiss

je t'avais pas vu, scuse gros, on se tcheke, puis il tcheke
Sucré en lui demandant comment ça va depuis le temps,
et bah alors les gars ça dit quoi, qu'est-ce que vous fou-
tez là ? Il a l'air super content de nous voir. Sur le coup
je trouve ça cool de sa part de ne pas nous esquiver
alors qu'il traîne avec des gens bien. En même temps
je ne peux pas croire qu'on ne lui manque pas un petit
peu dans ces moments-là. Je lui dis qu'on est dans ce
bar, celui-là là, et il me fait mais gros t'es sérieux, même
moi j'me sens mal quand je vais là-bas, et puis il rigole.
Le petit groupe s'est arrêté plus loin, il doit y avoir
quatre meufs et deux mecs. Ils ont sorti des clopes, ils
attendent. Ils n'ont pas l'air d'avoir dans l'idée de dire
bonjour. Dommage, parce qu'il y a une petite brune là-
bas à qui je serais ravi d'adresser mes plus sincères salu-
tations. Lahuiss dit qu'il a rejoint des potes pour aller en
soirée, et il enchaîne en disant que la meuf qui organise
est sympa, qu'il peut bien ramener deux potes. Sucré
va pour dire quelque chose mais je le coupe et je dis
que ça nous intéresse, qu'il n'a qu'à nous dire où c'est
et qu'on le rejoindra. Lahuiss dit qu'il va m'envoyer un
texto avec l'adresse exacte, et il rejoint le petit groupe
en nous disant à tout à l'heure.

Bon allez Romain, va falloir attaquer la deuxième partie du projet là, allez allez ! Poto est excité. Ils ont réussi,
je ne sais pas comment, à choper une table. Elle est dans
le coin, avec une vue sur tout le bar sauf l'entrée. On est
un peu serrés. Moi je suis assis sur une chaise près de la
banquette, la table est assez loin. J'y ai posé mon verre
vide. Il y a une meuf qui vient nous demander ce qu'on
veut boire, et pour la plupart on dit qu'on ne veut rien.

Les autres se taisent. Poto a servi un shot à Romain, et il se le met, comme ça, devant la meuf. Onze il dit. Je vois bien que la meuf ne sait pas comment nous dire qu'on n'a pas le droit de faire ça. Elle ne finit pas ses phrases. Ça suffit pourtant pour que Poto lui dise de ne pas casser les couilles, ce à quoi Sucré réagit en lui disant qu'il parle mal, et vas-y excuse-toi. Les autres rigolent, et la fille s'en va parce qu'elle voit bien qu'on ne la calcule plus. La conversation revient sur ce qu'on va faire après. Romain et Miskine sont toujours chauds pour aller en boîte, ils ne lâchent pas l'affaire les mecs. Chacun commence à mettre son grain de sel mais je coupe tout le monde en disant que j'ai un plan. Comment ça t'as un plan, et là je raconte ce qui s'est passé dehors avec Lahuiss. Il y a des visages qui s'illuminent, une soirée dans une maison chez des bourges avec des meufs trop bonnes, c'est sûr qu'on ne l'attendait pas celle-là. Sucré nous rappelle que pour Lahuiss on est deux, pas sept, et que peut-être c'est chaud on va se faire recaler, mais on est tous là à lui dire que c'est bon vas-y on s'en branle. Pour fêter ça, on se met un shot chacun notre tour, on n'entend plus que nous dans le bar. Cette fois c'est le barman qui vient. Je ne le sens pas serein. Il a rassemblé tout son courage pour nous faire face, se poster devant nous et nous dire, en nous appelant messieurs, qu'on ne peut pas rester là dans ces conditions. Nous on sait qu'on va se barrer gentiment maintenant qu'on a quelque chose à faire, mais on fait un peu semblant de résister pour lui mettre la pression. Il y a Poto qui le chambre sur ses cheveux frisés et Ixe qui lui demande comment il va s'y prendre pour nous faire sortir. C'est Sucré le premier à dire bon allez les gars, on y va. Moi je le relaie, et Poto se lève en disant que de toute façon ici c'est nul on se fait chier. En partant Miskine met un coup de pied dans sa chaise. Sucré le traite de rebelle en carton.

Plus que dix, dit Romain avant d'entrer dans la voiture de Habib. Il remet la bouteille dans son sac, ainsi que le petit verre. Ça va? je lui demande, et il s'anime direct, t'inquiète Jonas j'suis chaud. Mon téléphone vibre. Lahuiss m'a envoyé l'adresse. Je vois très bien où c'est. Et même que j'hésite à y aller sur le coup. Ixe me demande c'est où alors, et je lui réponds que c'est vers chez nous, rive ouest, dans le quartier riche au pied de la colline avec les grandes maisons. Il fait ok d'accord. Sucré demande une nouvelle fois si ce n'est pas abusé d'arriver à sept, et moi je regarde encore mon téléphone, je relis le message et je réponds t'inquiète, ça va le faire. Il se dirige vers la voiture en haussant les épaules.

C'est un peu à l'écart de la ville. On arrive sur un petit parking, moitié terre et moitié pelouse. Là, il fait nuit, alors on ne sait pas trop sur quoi on marche en sortant de la voiture. Il y a un vieux lampadaire à côté duquel on s'est garés, et il faut faire gaffe à ne pas arracher un rétro, parce qu'il y a déjà pas mal de voitures. On emprunte un chemin qui court entre un mur d'enceinte et un grillage au-delà duquel s'étend un pré. Au loin on voit l'autoroute, mais on ne l'entend pas. Ce qu'on entend c'est une rumeur, qui provient de cette maison. Ça fait boum, boum, boum, et ça ne s'arrête jamais. Avec Sucré on ne sait pas comment appeler ce genre de musique, alors on a cette blague entre nous, on dit que c'est DJ Charpentier aux platines, avec son marteau.

Sur la droite on aperçoit le jardin, avec plein de gens qui sont là, ça discute, ça danse, ça chahute. Une soirée quoi. Poto et Habib sont excités, Romain ne marche pas tout à fait droit. Sucré n'arrête pas de dire qu'on ne va pas rentrer, Ixe lui demande d'arrêter d'être aussi rabat-joie. Attendez, j'appelle Lahuiss je dis, mais comme par hasard, et tandis qu'on est face à la porte d'entrée, il en sort en rigolant, accompagné d'une fille qu'il tient par les épaules. En tombant sur nous ils se figent tous les deux. Lahuiss me fait hey Jonas !, et là il constate combien on est, tous en capuche. Il ne s'offusque pas, limite ça le fait marrer. Il plaisante sur comment on l'a bien eu et il tourne ça en pour une fois que je fais croquer je fais croquer tout le monde. On parle on rigole et je ne regarde pas la fille à son bras. Je ne la regarde pas mais je la vois quand même. Elle, elle me regarde. Elle s'est un peu écartée de lui, qui ne s'en est pas rendu compte. Elle porte une robe rouge à fines bretelles où tombent quelques mèches ondulées. Lahuiss se rappelle tout à coup qu'il manque de tact et se tourne vers elle comme pour nous la présenter. Il dit Wanda, je te présente une sacrée bande de zoulous, la bande de zoulous je vous présente Wanda. Elle sourit vers nous tous, puis vers moi, bonsoir Jonas, elle dit sur un ton un peu ironique. Ixe tourne sa tête vers moi d'un geste vif et moi je dis bonsoir Wanda, c'est une belle maison. On a un échange de regards qui pue la complicité et ça n'échappe pas à Lahuiss qui ne peut réprimer un haussement de paupières. Ah tu la connais ?, j'entends derrière, et Poto qui fait bah vas-y c'est sûr on va rentrer maintenant. À ces mots Wanda réagit, elle nous toise d'un air malicieux, fait mine de nous inspecter en dodelinant de la tête, et en nous pointant du doigt elle dit qu'on peut entrer si on est gentils avec les filles. On fait v'là les promesses, wallah on est des gars bien, on blague on rigole, Lahuiss ne dit plus rien. Wanda dit qu'elle a des copines qui mériteraient bien qu'on les dévergonde mais attention hein, pas de bourrins chez moi vous faites pas les relous non plus, et les mecs la trouvent drôle, en tout cas je connais assez leurs rires pour savoir qu'ils ne forcent pas. Elle dit bon allez là, entrez, faites votre vie. Elle a ce geste de moulinet avec le poignet tandis que les mecs passent le seuil de la maison, et moi j'attends pour entrer en dernier, avec elle, et Lahuiss a l'air de penser à la même chose. Lui et moi on se regarde et sur le coup on ne sait pas quoi se dire. Puis elle dit Lahuiss, tu fais quoi ?, et il n'a pas le temps de répondre qu'elle me prend par le bras pour m'attirer à l'intérieur. On se regarde encore avec Lahuiss. Moi je souris, pas lui.

Cette soirée est un merdier pas possible. Ça s'agite de partout. Le salon a été dégagé pour faire une piste de danse. Il y a bien une vingtaine de personnes occupées à danser, dont un groupe de quatre mecs qui me font bien rire parce qu'ils vivent le truc à fond, entre eux, dans un coin. Ixe vient à mon oreille, on ne s'entend pas trop avec cette musique électro un peu criarde, et il me dit putain Jonas tu m'avais caché ça, elle est trop bien cette meuf. Je dis ouais, t'as vu ça, et là il me dit par contre dépêche-toi parce que j'crois que Lahuiss il est dessus gros. Je ne dis rien. Wanda me tient toujours le bras et m'amène face à un groupe de trois meufs et deux mecs, dans la cuisine. Moi j'aime bien les contre-soirées dans

la cuisine, on s'entend parler. Elle me présente ses amis,
je retiens le nom des filles, pas celui des mecs. Ça doit
se voir que je n'en ai pas grand-chose à foutre quand je
leur serre la main. Mes potes ont déjà disparu, dispersés. Les filles ont l'air de me dévisager. Au mieux elles
se disent que c'est donc moi le mec qui fait les meilleurs
cunis de la ville. Au pire elles se disent que c'est donc lui
le mec qui ne fait rien de sa vie. Je demande à Wanda
si elle n'a pas quelque chose à m'offrir à boire, et elle
dit oui bien sûr, et voilà qu'elle reprend mon bras pour
m'attirer vers le salon, près de là où ça danse, et où il y
a une table genre buffet, sur laquelle il n'y a plus grand-
chose à manger, mais beaucoup à boire. Je repère une
bouteille de rhum, j'attrape un gobelet et j'y mets une
dose prohibitive. Quand elle me voit le verser elle fait
de grands yeux, et en riant je lui dis que ça m'évitera les
allers-retours. On doit parler fort pour s'entendre. On
pourrait s'approcher de l'oreille de l'autre, mais il semblerait que l'on s'impose une distance de sécurité. Elle
trouve ça incroyable que je me retrouve là, et je réponds
c'est une petite ville. Peut-être elle dit, mais pour autant
je savais pas que tu connaissais Paul, et moi je réponds
que c'est juste que nous on ne l'appelle pas comme ça. Et
aussi que de ce côté-ci de la frontière ce n'est plus tout
à fait la même personne. Je lui demande si elle le fré-
quente souvent, et elle balaie la question d'un geste de
la main, elle dit que ce n'est pas intéressant. Je n'aime
pas cette réponse. Le silence qui dure quelques secondes
m'oblige à avaler une sacrée gorgée de ce rhum pur, et
ça me fait grimacer. Elle croise les bras et penche la tête
sur le côté. Pourquoi tu m'as pas prévenue que tu venais

elle demande. Je dis que j'étais curieux de savoir comment elle allait m'accueillir. Je reprends une gorgée et je ne grimace pas cette fois. Je la regarde et je répète la fin de ma phrase, je voulais savoir comment t'allais réagir, et puis j'ajoute, avant de porter de nouveau le verre à ma bouche, vu que j'étais pas invité.

Sucré a envie de danser, mais je crois qu'il m'attend. Il se trémousse timidement en périphérie de la piste de danse, il claque ses doigts de la main droite, il a l'air con. Je dis à Wanda qu'il faudrait que je lui présente mes amis, elle acquiesce. Elle dit qu'elle ne leur a même pas demandé leurs prénoms, et je réponds t'inquiète, c'est pas le genre à se formaliser, la porte ouverte ça leur suffit. À ces mots elle sourit en disant ah oui, c'est vrai que vous êtes les bienvenus nulle part vous autres, et je sens le sarcasme dans sa phrase. Elle se moque de moi, gentiment mais quand même.

Je pense qu'elle a dû se dire que Sucré est sympa, que Ixe est bien élevé, que Poto est froid, que Romain est bourré, que Habib veut la serrer, et que Miskine est un gogol. Elle a dit qu'on faisait une belle équipe, et qu'il fallait qu'on se serve à boire. Là-dessus il y a une copine à elle qui l'interpelle, elle fait ah, il faut que j'aille voir ce qui se passe, et apparemment sur la terrasse il y a des mecs qui se foutent la tête en bas dans un seau de glace pendant quinze secondes puis se redressent brutalement avant de prendre un shot. Je me dis que si tu fusionnes ça avec la pyramide, tu tiens un truc dangereux. Et je me dis aussi qu'il faudrait obliger Romain à en prendre un comme ça. Et puis je finis par me dire qu'ils sont fous ces gens. À moins qu'en réalité ils sachent s'amuser. Ça fait longtemps que pour moi la foncedé n'a plus grand-chose de récréatif. Eux ils font ça le week-end, pendant les vacances, en soirée. Quand ils peuvent se le permettre. On n'a pas le monopole non plus. Il doit y en avoir dans la bande qui ont des problèmes avec ça. S'ils appellent ça un problème. Parce que moi, plutôt que de régler les problèmes, j'essaie de me convaincre qu'ils n'en sont pas. Comme ça y a plus de problème.

On est plus ou moins entre le salon et la cuisine, il faut parler fort mais pas hurler non plus. Ça blague pas les meufs ici, dit Ixe, avec un truc dans la voix, un truc où tu sens que le mec n'est pas à l'aise. Sucré dit qu'il n'y a pas moyen de les serrer celles-là, elles sont hors de portée les gars. Là-dessus il y a un mec qui arrive du couloir qui va vers les chambres, assez jeune à en croire sa gueule, des cheveux touffus un peu frisés, une chemise très blanche ouverte sur un torse imberbe, manches retroussées à l'arrache, un jean serré, trop serré d'ailleurs, quand tu vois des cannes pareilles t'as envie d'y mettre une balayette, et puis des souliers en cuir, pointus, trop pointus même, t'as envie de les enfiler pour lui botter le cul avec. Il dit salut les gars avec un grand sourire, et il nous serre la main à tous. Vous êtes des potes de Paul ? il demande, et on fait ouais, et il dit non mais je vous demande ça parce que bon, on sait que Paul il traîne avec des gars un peu... Un peu quoi ? le coupe Poto, et là le mec il bégaie, quelques secondes qui sont longues pour lui. Et puis il se reprend, il demande si on n'a pas quelque chose qu'il pourrait acheter, et Poto lui dit hey mais tout de suite tu nous vois tu penses qu'on vend du shit, ta gueule Poto, bien sûr qu'on a du shit, on a tout

167

nous, fait Ixe, et il demande au p'tit, tu veux quoi. Il veut un petit truc pour la soirée, et là je vois Ixe lui donner une barrette toute flinguée, il doit y avoir quatre-cinq spliffs à peine, et il dit vingt balles. Limite je suis sur le point d'éclater de rire, même lui il sourit en le disant. Le mec prend ça dans sa main, et putain il le sait, il le sait qu'il est en train de se manger une grosse carotte, et pourtant il sort l'oseille. Il a l'air content en plus. Ça me dépasse ça, les victimes consentantes. Poto lui passe un bras sur les épaules et le colle à lui, il dit hey, comment tu t'appelles, il répond Valentin, et Poto dit Valentin, dis-moi, entre nous, c'est qui les meufs les plus opé là dans la soirée, tu sais, celles qui sont le plus ouvertes on va dire, tu vois c'que j'veux dire? Le mec fait ouais, bien sûr, mais je sais pas trop, à part peut-être les trois là-bas, je sais qu'elles ont une certaine réputation, mais sans plus. Poto regarde où le type pointe le doigt, et il fait wesh c'est quoi ces tasspé là, c'est les trois plus moches que tu me montres là, tu t'fous de ma gueule ou quoi? Ixe fait vas-y laisse-le, le pauvre tu lui fais peur, et Poto lâche le mec et lui dit dans un sourire allez, casse-toi va.

On a proposé à Romain de mettre sa tête dans le seau de glace mais il a tout de suite cherché à négocier. Une tête dans le seau ça vaut au moins cinq shots il a dit, et nous on n'est pas d'accord, cinq shots t'es un ouf c'est trop, et il dit bon bah alors trois, et Miskine dit non c'est mort va t'faire enculer tu négocies pas, vas-y on oublie cette histoire de seau de glace, d'façon c'est pour les blaireaux ce truc, regarde-moi les bouilles des types autour du truc. Romain continue de déblatérer et moi je rigole en lui disant baisse d'un ton et articule bâtard.

Sucré et Ixe sont partis danser, j'arrive après la clope, et c'est seulement après avoir dit ça que je l'allume. Je me retrouve tout seul et je regarde tous ces gens. J'ai la tête qui tourne. Ça s'agite. Ça pousse des cris. La musique est forte. Une meuf est montée sur un mec, sur le canapé qui a été mis de côté, c'est un peu sombre là où ils sont. On les distingue à peine, si bien qu'ils pourraient se mettre à baiser, là, devant tout le monde, tout le monde qui a l'air de s'en foutre. Un mec prend un rail de coke contre une étagère de livres. Un type danse avec les majeurs en l'air, genre je vous nique tous, et ceux qui l'entourent trouvent ça drôle. Une fille danse avec plusieurs mecs, elle passe de l'un à l'autre, elle se frotte contre qui veut bien tendre la cuisse. Moi je cherche un cendrier parce que je ne veux pas mettre ma cendre par terre.

J'entre dans la cuisine et je cendre dans l'évier, et là quelqu'un arrive en face de moi. C'est Lahuiss. Il me fait wesh, bien?, et je dis bien et toi, il dit ouais ouais. Ça dure un instant, il allume une clope. Poto passe par là avec Miskine, les mecs ont l'air de visiter la maison comme s'ils allaient l'acheter. Sans s'arrêter, ils remercient Lahuiss, avec l'œil pétillant ils en placent une pour dire qu'y a trop de meufs truc de ouf, et puis ils se dirigent vers le jardin. Je rigole en disant à Lahuiss que j'aimerais bien qu'ils parviennent à pécho ce soir. Il tire sur sa clope avec un petit ricanement, et puis il dit laisse tomber, ces mecs-là ils peuvent pas pécho dans ce genre d'ambiance, ils sont pas assez fins pour ça. Comme je regardais le sol je relève la tête vers lui. Il poursuit, il dit regarde-les, ils sont toujours là à te parler des meufs, à te demander si y a des meufs à la soirée, à dire ouais la meuf j'la baise j'lui fais ci j'lui fais ça, mais en vrai ils font rien. Ils y comprennent rien. Eux, ce qu'ils attendent, c'est qu'il leur arrive un truc de ouf genre une meuf qui arrive de nulle part et qui dit viens on va à l'étage, j'ai envie de te sucer la bite, et y a ma copine qui va venir tu pourras l'enculer si tu veux, et je ne peux pas m'empêcher d'exploser de rire avant qu'il ait fini sa phrase. Il rigole aussi, il dit j'te jure gros, il leur faut ça sinon c'est mort. Je lui dis t'es un bâtard. Il répond que ce n'est pas de sa faute.

On tire sur notre clope en même temps, il cendre et prend cette posture, celle qu'il a quand il va expliquer quelque chose, et qui lui fait redresser ses épaules et bomber légèrement le torse. Ses mains s'animent et un sourire s'installe sur sa face. Il dit tu vois, nous les mecs au départ on a tendance à sous-estimer le désir des meufs, leur envie de sexe. S'agit de les connaître un peu. Quand tu les connais un minimum tu peux évaluer leur taux de putassium. Et quand tu peux évaluer leur taux de putassium, là t'es bon mon pote. Le taux de putassium je demande, il dit ouais, le taux de putassium, et il reprend sa pose. Lahuiss il a souvent des théories et il se débrouille toujours pour qu'on lui demande de nous les sortir. Il savait que j'allais lui poser la question. Il se relance tout seul le mec, il dicte le rythme. C'est lui qui parle. C'est sa manière à lui de faire comme s'il n'imposait rien aux autres. Moi ça ne me dérange pas. Parce qu'il parle ma langue, il arrive à me faire saisir des choses importantes avec des mots de merde. Je suis sûr que c'est un talent qu'il a. Alors je l'écoute.

Le taux de putassium il dit, c'est l'indice qui te permet d'évaluer la faisabilité d'un rapport sexuel. C'est au-delà du genre comme truc, toi aussi t'as un taux de putassium, moi aussi, les mecs les meufs les castors, tout ce que tu veux. Ça englobe à la fois ce que tu projettes comme aura sexuelle, mais aussi ton attitude vis-à-vis de ça. Ce qui m'intéresse ce sont les gens qui savent ce qu'ils veulent. Et je suis pas le genre à partir du principe que pute c'est un gros mot tu vois. Pour moi la pute ultime c'est la personne qui est au sommet de l'égoïsme, et cette personne-là elle fait ce qu'elle veut, j'ai pas de problème avec ça. Après, c'est comme tout, ça dépend de comment on fait les choses. Il tire une latte sur sa clope. Et comment tu détermines ça je demande. Il dit mec, c'est un ensemble de choses, faut avoir l'œil, être observateur, savoir capter les signaux quoi. Et puis faut pas se prendre pour de la merde. Tu vois moi, dès que je suis arrivé, j'ai repéré celles qui veulent à tout prix choper ce soir, donc je les évite, et puis il y a celles qui t'ont déjà mis le grappin dessus, qui t'ont repéré tu sais, celles-là je les mets de côté, au cas où, et puis enfin il y a celles qui sont en mode tu me toucheras pas ce soir tellement j'suis bonne, et là on commence à parler. Je fais ah d'accord, mais du coup comment tu le mesures, concrètement, le taux de putassium. Il tire une latte, cendre dans l'évier, souffle la fumée et dit gros, c'est tout à l'instinct. Il est pas fixe le taux, c'est à toi de le stimuler. Faut pas se tromper sur les meufs. Nous les mecs on les sous-estime. J'te rappelle quand même que quand c'est bien amené tu peux faire kiffer une meuf en lui claquant le cul, en lui tirant les cheveux, même la strangulation mon pote, y en a ça les fait jouir. De la même manière que toi ou moi on pourrait aimer se prendre un gode dans le cul ou se faire fouetter avec un martinet. Le taux de putassium c'est lié à l'abandon de soi, et si c'est fait intelligemment ça peut pas être immoral. Et c'est pas grave Jonas, le mec qui juge mal les meufs parce qu'elles prétendent jouir c'est un connard. Nous les gars on se fait trop de films, les meufs aussi elles ont envie de sexe, elles ont juste pas forcément la même approche. Mais attention hein, je te dis pas que les putes les pétasses les salopes ça existe pas, bien sûr que ça existe, et c'est pas grave non plus, c'est pareil de l'autre côté, y a des queutards des bâtards des enculés, c'est pareil. Le tout c'est de savoir avec qui tu baises, et si ça en vaut la peine. Pour ça que la séduction je respecte. Le mec qui pécho je le respecte. Mais pas si c'est juste un queutard qui baise le premier grumeau qui passe. Ça je méprise. Et pour les meufs c'est pareil. Je fais ouais de la tête et je tire sur ma clope. Je lui demande c'est quoi le rapport avec le taux de putassium du coup, et dans un haussement de paupières il répond qu'il en sait que dalle, que le taux de putassium c'est un truc qui lui est venu tout à l'heure alors il ne le maîtrise pas encore tout à fait. Il rigole, et puis après avoir cendré dans l'évier il fait tout ce que je peux te dire mec, c'est qu'à terme il s'agit de démontrer que c'est les vrais mecs qui chopent les vraies meufs. Il attrape une bouteille de champagne presque vide posée sur le micro-ondes, et puis il la descend au goulot. Je commence à être légèrement foncedé moi, il dit. Je le regarde et je ne dis rien. En vrai j'en ai rien à foutre de ce qu'il me raconte, j'essaie de savoir où il veut en venir. Moi j'ai juste envie de lui demander s'il baise avec Wanda, ou s'il l'a déjà baisée, ou s'il envisage de baiser avec elle. Je ne veux savoir que ça. Je sens bien qu'il essaie de me dire quelque chose avec son discours là. Il m'explique pourquoi c'est lui qui doit avoir Wanda et pas moi. Lui il est qualifié. Il se pose en maître face à un élève. Il croit qu'il me tire vers le haut alors qu'il ne fait qu'appuyer là où j'ai déjà mal. Je ne maîtrise pas les codes, ou alors je maîtrise trop bien les miens. Ça fait que je n'ai pas envie d'avoir à me rendre aimable pour être aimé. Il continue de déblatérer mais je n'écoute plus trop. Je cherche un prétexte pour me barrer de là, je n'ai plus rien envie de lui demander à propos de Wanda, juste qu'il se casse, même si au final je ne lui aurai pas dit d'aller se faire foutre. Lahuiss en a fini avec son discours, il a rangé sa pose. Il regarde le fond de son verre avec l'air de se demander s'il ferait bien de le remplir. Il prend ça comme prétexte, il dit bon Jonas, je vais aller voir là-bas si j'y suis, il y a du taux de putassium à évaluer. Je fais semblant de rigoler et je lui dis c'est ça, allez casse-toi, et il se barre en me lançant un regard que je trouve trop complice.

Je reste là quelques minutes, je ne sais pas quoi faire. Je n'ai pas revu Wanda depuis tout à l'heure. C'est le merdier dans cette cuisine. Il y a un grand plan de travail près de l'évier, avec du bordel dessus. J'y cherche un gobelet neuf quand un type, assez grand, une barbe fine et une tête toute ronde, arrive en trombe, écarte de son bras tout ce qui s'y trouve, et pose une bouteille de Coca, une autre de vodka, ainsi que des petits verres à shots. Il me dit bah alors ma couille, qu'est-ce tu dis qu'est-ce tu bois, encore un cocktail de pédé hein, et il rigole fort. Il n'est pas seul, il y a un mec avec lui, plus petit, avec des cheveux un peu longs, maigre, et qui rigole à la moindre phrase que son pote prononce. Tu fais quoi là, je demande. Là mon pote, il répond, je suis dans un moment critique. Quand j'suis arrivé on m'a dit que c'était une soirée teq-paf, donc j'me suis dit les gens se sont préparés pour ça. Sauf que non, que dalle, des amateurs. C'est à peine si j'en ai pris douze avec leurs conneries. Du coup, avec mon pote qui est là et qui en a vu d'autres, on s'est dit qu'on allait innover et on va tenter, devant tes putains d'yeux ébahis, la vodka-Coca-paf, eh ouais ma gueule. Les types rigolent tous les deux et je fais pareil. Le mec à la tête toute ronde en sert deux, il en passe un à son pote, et là ils tapent le verre sur le plan de travail en le couvrant de la paume de leur main, on voit le Coca qui mousse, et ils se le mettent. Le grand, après avoir posé le verre, dit ça passe, ça passe clairement, et puis il voit que son pote grimace et se tourne vers moi en le pointant du doigt, il me fait oh putain téma, téma la ganache du type, et il part dans un fou rire, bouche grande ouverte, et me tape dans le dos. Il dégaine un autre verre et le met devant moi, allez ma couille il dit, celui-là tu te le mets dans la guiche avec nous, et je ne dis pas non. Alors qu'il m'a servi je prends le verre et bam bam bam contre le plan de travail, j'avale ça cul sec, oh putain c'est chargé, et quand je pose le verre le type et moi on se regarde, on se marre, et je dis tavernier, remets-en un, le type est mort de rire, il regarde son pote et il dit oh merde, regarde-moi comme il est vaillant celui-là, il veut que je lui remette un godet, et en fait c'est moi qui sers trois verres, je les regarde et je dis

bah alors, t'as cru que j'venais juste de me laisser pousser des couilles, tu sais pas sur qui t'es tombé mon pote.

Ça doit faire une demi-heure que je suis là à enchaîner les vodka-Coca-paf et à raconter des conneries avec
ce mec, quand Sucré arrive dans la cuisine. Bah alors
Jonas ça fait deux heures qu'on danse là. Deux heures
t'exagères, je dis. J'allume une clope. Je suis tellement
arraché que je sens à peine la fumée pénétrer mes poumons. Sucré il transpire, ça se voit qu'il s'est donné. Me
dis pas que t'as foutu ta gueule dans ce putain de seau
je dis, et il me prend par le bras, viens on va dehors tu
paies ta clope, et y a mon nouveau pote qui lui tient le
bras aussi, il dit hey tu crois qu'tu vas où là, c'est mon
partenaire tu peux pas le prendre, et moi je dis mais
non t'inquiète c'est la famille, et alors que je voulais me
diriger vers lui je trébuche contre Sucré qui amortit ma
chute et qui me dit bah alors t'es bourré ou quoi, et je
dis non, enfin un peu quoi, et puis merde comment tu
veux que je sois pas bourré avec ce qu'on se met dans
la gueule. Mon nouveau pote attire Sucré vers le plan
de travail, il dit écoute c'que j'te propose ma gueule, tu
trinques avec nous à la vodka-Coca-paf, et j'te le laisse,
c'est un brave, il a quasiment dézingué la bouteille à lui
tout seul. Sucré fait bah dis donc, c'est pas cher payé ton
truc, allez balance-moi ça, et alors qu'on était partis pour
n'en prendre qu'un voilà qu'on s'en met trois à la suite.
Sur le dernier j'ai comme une impression de m'affaisser, mais je me rattrape en cognant le plan de travail,
puis me remets debout sans que les autres aient remar-
qué. Romain et Miskine passent par là, ils arrivent de
dehors. Romain a les cheveux humides. Je lui dis qu'il

doit tester ça, la vodka-Coca-paf, c'est de la frappe je lui dis, et il me répond un truc que je ne comprends pas, je lui demande de répéter, et je ne comprends toujours pas, et là je le regarde, le mec est bourré comme un coing il en peut plus, il a les yeux plissés et un sourire niais sur la face. Il continue de baragouiner mais c'est inaudible, et je pars dans un fou rire insonore, tout à coup je ne sens plus mes jambes alors je lui tombe dessus, et lui, tout bourré qu'il est, il tombe sur Miskine qui, n'ayant rien vu venir, tombe sur un gars qu'on ne connaît pas, ça fait des dominos, mais au final il n'y a que moi et Romain qui finissons vraiment au sol. J'ai la joue contre le carrelage et je ne comprends pas bien ce qui se passe, et c'est pire quand je me sens happé vers le haut comme si la gravité s'était inversée soudainement, alors que c'est Sucré qui m'a soulevé comme si je n'étais rien, et qui m'emmène dehors.

File-moi une garo gros s'te plaît. T'es sûr tu veux fumer une clope là? Ouais grave. Tiens. Cimèr. Je l'allume, je tire une grosse latte, et je ne souffle pas la fumée, juste je la laisse sortir. On est sur la terrasse, derrière la maison. Sucré m'a mis sur une chaise, Ixe m'a ramené un verre d'eau, les gars sont tous là. On me demande comment ça va, je souris, je tire sur la clope. Je bois l'eau. Romain est debout, je lui dis gros, scuse, et il me fait t'inquiète Jonas y a rien, c'était trop marrant. Je lui dis mais merde comment ça se fait que t'es encore debout toi, il te reste combien de shots encore? Il dit il m'en reste trois, je fais hein?, et Miskine proteste, il fait mais non t'es un mytho toi aussi, hey Jonas lui il fait des conversions chelou, genre ça ça vaut ça et ça j'sais pas quoi, et Habib s'y met aussi alors que Romain se défend, il y a aussi Poto qui gueule, Ixe qui se marre, Sucré qui leur dit de se calmer, et moi ça me fait sourire. Ils sont debout et je suis assis, ça me donne un peu le vertige. Ixe m'a ramené un paquet de chips, et je le défonce le paquet de chips, je m'envoie des poignées dans la bouche et je croque ça n'importe comment, ça fait des miettes, beaucoup de miettes qui tombent sur mon pantalon et qui me font les joues grasses.

Quand j'ai terminé le paquet de chips je le balance par terre. Je suçote mes doigts vite fait et je m'essuie sur mon pantalon. Ixe a un joint, je lui dis s'te plaît laisse-moi tirer une latte, il me le donne. Je fais ça va les gars, vous vous amusez bien?, et là ils ont chacun un truc à me raconter, entre Poto qui a l'impression d'avoir une touche avec une meuf mais il n'est pas sûr, Ixe qui a failli frapper un gars parce qu'il lui avait proposé une ligne de coke, Sucré qui danse comme un taré et qui a sympathisé avec des types, et tout un tas de conneries que je ne capte qu'à moitié parce qu'ils parlent tous les uns par-dessus les autres. On me raconte trois histoires en même temps, et même si je ne suis plus ça me suffit de les voir contents. Ils sont hyper excités, à part peut-être Ixe, toujours dans la sobriété. Il a arrêté de boire depuis qu'on est arrivés il dit. Il fume des spliffs par contre. Et puis il se rapproche de moi et me dit au fait Jonas, y a Lahuiss qui tourne à mort autour de ta meuf, et Poto s'enflamme d'un coup, il se penche sur moi il fait ah ouais Jonas, je l'ai vu tout à l'heure il la frottait comme ça, et il mime le geste, j'entends des oh là là derrière, genre oh l'bâtard ça m'aurait pas plu, et je dis wesh c'est pas ma meuf en me passant la main sur le front. Sucré fait ouais bah en tout cas on dirait bien que pour elle t'es pas son gars. Les mecs sont happés par la soirée, ils se dispersent, seuls Sucré et Ixe restent près de moi. Je me lève et sur le coup je ne suis pas stable. Ixe rigole et dit que ce n'est pas dans cet état que je vais me relancer auprès de Wanda. Je dis wesh. Et puis je me mets à marcher. Ixe demande si ça va et me tient le bras parce que je titube, et je baragouine un truc pour dire que je vais rentrer dans la maison, me mettre de l'eau sur le visage. Il dit ok bonne idée. Je slalome entre les gens, il y en a que je bouscule en essayant de les esquiver. Je n'ai pas le bon timing, je distribue des coups de coude et des coups d'épaule. Je dis pardon à chaque fois, même quand on ne me calcule pas. Dans la cuisine un type aux cheveux longs se fait initier à la vodka-Coca-paf et je passe sans rien dire, mais pas sans me demander comment mon acolyte à la tête ronde fait pour assumer tout ça. J'arrive au salon, là où ça danse. Il y a moins de monde, certains sont partis. Je n'ai aucune foutue idée de l'heure qu'il est. Je cherche Wanda, la trouve. Lahuiss est près d'elle. Ils sont un peu à l'écart, sous l'escalier, petit renfoncement. Il a les épaules hautes, il discourt. Elle l'écoute. Elle a l'air captivée. Quand j'arrive à leur hauteur ça les interrompt, je me racle la gorge. Lui je ne le considère pas, je ne regarde qu'elle, et je lui demande si on peut aller parler. Lahuiss me demande si ça va, je dois avoir l'air bien soûl à cette heure-ci. Il pose sa main sur mon épaule et je le repousse, ça le surprend, et je demande de nouveau à Wanda si on peut aller parler. Je crois que je n'articule pas des masses. Elle ne sait pas trop où se mettre, et moi pendant que je la regarde et que j'attends une réaction de sa part j'ai tout dans la tête, toutes ces phrases que je pourrais prononcer et qui me soulageraient du poids que je traîne, toutes ces déclarations d'amour comme de guerre, lui dire le mal que ça me fait d'être presque assez bien pour elle. Lahuiss a l'air de penser que j'embarrasse Wanda, alors il me propose qu'on aille discuter dehors. Il s'approche d'elle et lui parle d'un ton rassurant, genre je prends les choses en main. Il se sert de moi pour se mettre en valeur. Il pose sa main sur son épaule, et je le trouve culotté de faire ça devant moi. Je réprime une envie de le jeter contre le mur. Mais c'est Lahuiss, c'est mon ami, alors je n'y cède pas. Il cherche à m'attirer dehors et m'invite à le suivre, ce que je ne fais pas. Il essaie de me contraindre, passe ses bras autour de moi et me tire vers l'arrière en me demandant d'être raisonnable. En me débattant je le repousse et ça le projette contre une étagère. Un type arrive, un pote de Lahuiss apparemment, il demande ce qui se passe. Je ne le connais pas, il ne me connaît pas. Wanda ne bouge plus. Elle reste là, contre le mur, contrite. Je dis au mec de ne pas s'en mêler, et il a dû me prendre pour une racaille qui s'est incrustée à la soirée, manifestement il ne sait pas que je suis un ami d'enfance de Lahuiss, il ne sait pas que je bouffe la chatte de Wanda toutes les semaines depuis qu'elle a décidé que je n'étais finalement bon qu'à ça. Il veut jouer les héros. Il me pousse en m'intimant l'ordre de quitter les lieux. Dans ses yeux je vois qu'il prend sur lui. Il espère que je vais coopérer et déguerpir. Il ne se rend pas compte de l'opportunité qu'il me donne.

Au final il aura payé pour m'avoir jugé trop vite. J'ai senti quelque chose craquer. Je n'ai pas su m'arrêter. Wanda n'a pas bougé. Lahuiss n'a pas été assez fort. Assis sur le torse du type, les genoux sur ses épaules, je n'avais plus qu'à faire descendre mes poings pour qu'ils s'écrasent sur sa face. C'est Ixe qui m'a arrêté. Je ne serais pas surpris qu'il m'ait pété une côte ce con-là. Des cris partout, une fille qui hurle comme si on était en train de l'égorger sous la douche. Faudrait voir à ne pas exagérer non plus. Grosse cohue, mes potes qui semblent sortir de sous terre pour se disposer en cordon de sécurité devant moi. Sucré me ceinture et m'emmène loin de ce merdier. Rodés les mecs. Ils m'exfiltrent. Wanda au milieu de tous ces gens qui se précipitent, vont et viennent, et c'est comme si elle clignotait, à disparaître et réapparaître tandis qu'on lui passe devant. Elle, tout à fait immobile, regarde dans ma direction. Quand Sucré passe le hall d'entrée, je ne la vois plus.

Hey mais gros, la steak que tu lui as mis ! Hey j'ai halluciné gros j'te jure, et il tire sur sa clope. Il n'en revient pas Poto. Ça fait dix minutes qu'on est dehors. On a vu passer trois mecs accompagnant le type que j'ai frappé, à moitié conscient, pour l'emmener à l'hôpital. Sucré me fait la morale et moi je ne dis rien. Il n'est pas content Sucré. Miskine lui il est déçu parce qu'il n'a pas vu le coup. Ixe avait senti venir alors il m'observait avec Poto et Habib. Romain est assis par terre, capuché, on ne l'entend plus. Je tire sur le joint que Ixe vient de rouler à ma demande, et je dis les gars, je sais même pas pourquoi j'ai fait ça, et Sucré dit moi je sais Jonas, t'as fait ça parce que t'es un connard, et je ne trouve qu'un vas-y casse pas les couilles à lui lancer. On est juste devant la porte d'entrée de la maison, moi le dos contre le mur. Poto commence à demander ce qu'on fait là du coup, on n'a plus qu'à s'en aller, et au moment où il dit ça il y a Wanda qui sort de la maison. Ixe invite les autres à l'accompagner vers les voitures, ils disent au revoir à Wanda. Je m'empresse un peu de dire que je suis désolé, elle ne répond rien. Je me passe la main sur le visage, et puis je ne la regarde plus. Je devrais partir, je dis. Il fait un peu frais.

Tipi

Les beaux jours se sont installés, la nuit tombe plus tard. Le soleil est encore haut mais la rosée commence à tomber, et le fond de l'air se rafraîchit. Près de chez nous c'est boisé, et il y a cet endroit qu'on aime bien, on appelle ça les Rochers, parce qu'ils y sont nombreux. Au milieu de ce bois il y a une butte, et en son sommet une clairière parsemée de roches et recouverte de sable. De là-haut la vue est dégagée, on distingue l'horizon. C'est parfait pour observer un coucher de soleil.

Sucré est venu me chercher devant la maison, Il a proposé un café, et j'ai répondu que je voulais m'aérer. Le bois fait face à la mairie de la ville. Il y a un petit parking où on se gare. Cette partie de la forêt est aménagée, entourée de grillages, et quelques chemins la traversent. Le tour du parc fait deux kilomètres. Je viens ici courir, quand je m'entraîne. Courir c'est la dernière chose que je me vois faire. L'entrée du bois invite à en faire le tour. En face il y a un grand rocher recouvert de forêt, et de chaque côté le chemin s'élance. Je prends toujours à droite, que ce soit pour mon footing ou pour monter sur la butte. Ça fait un léger faux plat montant, le chemin est bordé de rochers, de chênes et de pins, et parcouru de racines sur lesquelles on trébuche. Sucré et moi on avance, on ne dit rien. On entend des petites bestioles courir dans les feuilles quand on passe, et on ne sait pas les identifier. Ça peut être n'importe quoi, en tout cas ça s'enfuit à notre passage. Alors une chose est sûre, ce n'est pas un tigre.

Il fait frais dans la forêt, mais il n'y a pas de vent. C'est agréable. Il y a des pavés, par-ci par-là, qui laissent à penser qu'autrefois c'était une route que l'on pouvait emprunter ici. Sur les côtés, il y a des souches de grands arbres, coupés net. Tous les dix mètres environ, on en croise une. Il y a eu une tempête, il y a quelques années, et le bois a été fermé pendant des mois. Beaucoup d'arbres étaient tombés, et d'autres menaçaient. Avec Sucré on était venus voir le carnage, malgré les barrières de protection. Ça nous avait impressionnés, un merdier pareil. Le bois avait beaucoup perdu en verticalité. Ça a créé des clairières. On n'avait pas fait long feu, de peur de se prendre un arbre sur la gueule.

Le long du chemin il y a des orties. Je ne peux pas m'empêcher de m'imaginer en train d'y pousser Sucré, mais je me dis non, quand même. Il n'y a que Ixe pour faire des trucs pareils. Et puis, je me dis qu'au fond c'est certainement Sucré qui a le plus envie de me jeter dedans. Le chemin se poursuit en s'élargissant mais c'est là que nous bifurquons, sur la gauche. Ça monte un peu plus franchement maintenant. Il y a de grosses racines ici, je les enjambe ou parfois je prends appui dessus, quand je ne m'y prends pas les pieds. Un oiseau crie très fort, comme pour montrer que c'est lui le boss de la forêt.

Je lève la tête, mais j'ai beau balayer les arbres du regard, je ne vois pas le moindre volatile, et à dire vrai il est peut-être bien à l'autre bout du bois. Je regarde de nouveau devant moi pour éviter de me prendre une racine.

On va entre deux rochers, et Sucré passe tranquille malgré sa corpulence. Tu te rends compte je dis, si tu continues à prendre du poids, un jour on pourra plus passer par là, faudra qu'on fasse le tour, et ça le fait rire. Un rocher sort de sous terre, on peut y prendre appui pour accéder à une partie plane où, dès qu'on arrive, on aperçoit le dos d'une maison en pierre, toute petite. Quand on était enfants, on appelait ça la maison de la sorcière, et on se faisait flipper entre nous. Je n'ai jamais eu le courage d'y entrer, même si en vérité ce n'est pas du courage qu'il faut, mais une putain d'abnégation, parce que depuis longtemps il n'y a que des sans-abri qui la squattent. Il y a toujours de la merde qui traîne autour, sachets plastique, bouteilles de bière, capotes usagées, paquets de clopes. Toujours les mêmes trucs. On la dépasse, je dis regarde-moi ce bordel, et on constate qu'en ce moment elle est habitée, car il y a une couverture à l'intérieur. En vrai on ne tiendrait pas à plus de quatre là-dedans, même en restant assis. Elle a une cheminée. Ça lui donne un peu de cachet à la maison de la sorcière. On reste quelques instants à la regarder et à trouver dommage qu'elle soit souillée comme ça. Sucré dit que c'est tant mieux pour la personne qui s'y installe, qu'elle est sûrement mieux là que sur un trottoir. Il propose d'aller chercher un sac-poubelle dans sa voiture et qu'on nettoie, et je lui dis t'es un ouf, tout ça là j'y touche même pas avec un bâton.

On arrive au bas du chemin qui mène au sommet de la butte. Des arbres sont marqués. On retrouve les pavés, ils sont plus nombreux et s'étalent sur une trentaine de mètres. Ensuite le sol devient sablonneux, du sable blanc, vraiment tout blanc, comme sur ces plages paradisiaques que je n'ai jamais vues de ma vie. À cet endroit de la forêt, et jusqu'au sommet de la butte, on trouve des centaines de pommes de pin au sol. Je ne résiste pas à l'idée d'en attraper une et de menacer Sucré qui se cache derrière un rocher et en prend une à son tour, et on se toise, et d'un coup je cours vers lui, complètement à découvert, prends appui sur son rocher pour sauter haut et le toucher dans le dos pendant qu'il tente de fuir. Quand je retombe au sol, je me prends sa réplique. On rigole.

Nous approchons du but. À droite il y a ce rocher qui semble posé sur un autre, presque en lévitation. On a l'impression que si on y met un coup il dégringole. J'aperçois un espace au pied d'un rocher, à une vingtaine de mètres devant nous, et je dis à Sucré, tu te rappelles la fois où je t'ai trouvé au petit matin en train de dormir là ? Il rit, il fait ouais putain, quelle soirée de dingue, et je dis ouais, j'te jure. Pour rejoindre le sommet de la butte il faut passer une haie de rochers, mais je connais un passage où ce n'est pas trop casse-gueule. La clairière est grande, la lumière se fait plus vive. Il n'y a personne. On a du ciel au-dessus de nos têtes. De gros rochers entourent et délimitent la clairière, d'autres plus petits la parsèment. Au sol, ça n'est que du sable. Il y a des parties noircies, traces de feux. On s'assoit sur un rocher, toujours le même, il est tout plat mais en descente, on peut s'allonger, tranquille. On ne voit pas le soleil se coucher parce qu'il y a des nuages. C'est dommage, je dis, et Sucré dit ouais, c'est con. On reste là sans rien dire, plusieurs minutes. Je sors une clope, lui en offre une, il débouche le Coca. On boit à la bouteille. Il y a un petit vent qui souffle, ça fait parler les feuilles. T'as dans l'idée de t'exprimer ? demande Sucré, un brin taquin. Je tire une latte, je tourne la tête vers lui, et je dis tu sais ce que j'ai envie de faire là ? Il répond non. Et je dis gros, j'ai envie de faire un feu.

Je l'envoie chercher des brindilles pour commencer, et pendant ce temps je fais les préparatifs. Je trouve des feuilles séchées et tout un tas de trucs qui brûlent. En tout cas ça a l'air inflammable. Je ne sais pas les nommer, comme je ne sais pas nommer quatre-vingt-dix pour cent de ce qui se trouve dans une forêt. D'ailleurs je me dis que c'est con, que ce serait cool de tout savoir sur ce qui m'entoure, même si à terme c'est juste pour mieux savoir comment ça crame. Les tempêtes de ces dernières années, et en particulier la dernière, ça nous permet d'avoir beaucoup de bois à disposition. Certains arbres sont tombés dans des endroits difficiles d'accès pour le matériel municipal, alors pour beaucoup ils ont été laissés à leur sort. On s'en occupe. Il y a cet arbre que je me rappelle avoir vu là, couché, en entier, sans feuilles c'était l'hiver, avec ses centaines de branches. Il n'en reste plus que le tronc, tant on s'est servis de lui pour nos soirées. Quand on descend en contrebas, de l'autre côté de celui d'où on est arrivés, il y a comme un cimetière d'arbres. C'est un puits de pétrole le truc. Il y a ce pin, couché, dont les branches tendues paraissent offertes. J'en saisis une et je tire dessus par à-coups, je fais attention de ne pas tirer trop fort sinon je partirais en arrière avec la branche et je me prendrais un rocher. Après le quatrième coup, l'écorce de l'arbre s'arrache avec la branche, ça fait comme une peau, une languette qu'on décolle. J'arrache tout et je le balance en haut, vers la clairière. Ce bruit que ça fait quand ça touche le sol. Sucré dit que je n'ai pas besoin de me faire chier comme ça, qu'il n'y a qu'à se baisser, mais je lui réponds qu'il faut que ce soit marrant, sinon ce n'est pas drôle. On réunit beaucoup de bois et on le dispose autour du feu en le rangeant par taille. Tout ce qui nous manque c'est de la grosse bûche, genre des morceaux de tronc, d'un arbre pas trop épais. Beaucoup d'arbres ont été tronçonnés en petits morceaux et laissés là, ce ne sera pas dur d'en trouver, simplement il ne faut pas que ce soit trop loin du feu, parce que c'est lourd. On dit qu'on verra ça plus tard. La nuit tombe, il faut se mettre à l'ouvrage.

J'ai mis des feuilles séchées et d'autres trucs qui brûlent là où sera le centre du feu. Comme c'est du sable, je peux planter les brindilles et les dresser en diagonale tout autour de mon tas de trucs séchés, et je les dispose de manière à ce qu'elles se touchent au centre. Ça fait une pyramide. C'est le moyen le plus efficace de faire partir un feu. C'est Ixe qui m'a appris ça, le jour où je lui ai lancé le défi d'en allumer un avec une seule allumette et un ticket de carte bleue. Les feuilles séchées que j'ai prises sont assez épaisses alors elles brûlent, mais comme de l'intérieur, ça ne fait pas une bonne flamme. J'en cherche d'autres, j'essaie avec de l'écorce très sèche et très fine, mais il n'y a pas moyen d'en faire une flamme. Je souffle un peu, ça ne prend pas. Je me souviens de nouveau de l'anecdote avec Ixe et je fais mes poches. Des tickets de carte bleue j'en trouve deux. Sucré, lui, il trouve un tract qu'on lui a donné dans la rue. Encore mieux. J'enlève un peu de feuilles mais je les laisse sur les côtés, je fais en sorte de ne pas faire tomber la pyramide dans laquelle j'ai laissé un côté ouvert, pour pouvoir en manipuler les entrailles. Je le refermerai quand ça aura pris. Coup de briquet, le morceau de tract que j'ai déchiré crame direct, j'entends déjà certaines brindilles craquer. Ça fume. J'ai de l'écorce bien sèche en réserve, j'en pose un peu, délicatement, histoire d'alimenter la flamme, mais ça ne fonctionne pas alors je la retire. Je pose un deuxième morceau de tract, la flamme s'intensifie pour atteindre le haut de la pyramide. Ça craque encore. Quelques brindilles, pour étoffer ma structure, sachant qu'en en posant de nouvelles je pousse un peu les anciennes, ça les rapproche du foyer, et le haut de la pyramide est complètement enflammé maintenant, à défaut que le bois ait vraiment pris. Je souffle doucement, par en dessous. Quand on souffle sur un feu, il faut y aller tranquille d'abord, puis intensifier le souffle graduellement. Je le fais deux fois, et après la troisième une grosse flamme apparaît. Le haut de la pyramide a pris, ça y est. Encore quelques brindilles disposées tout autour, je referme le trou, et je passe à un plus gros calibre, de petits bâtons. Là, je n'attends pas qu'ils prennent avant d'en rajouter d'autres, je dispose autour du foyer tout ce que je veux y voir brûler dans l'heure qui vient. Avec Sucré on s'applique à faire un truc stable, qui ne va pas s'affaisser, et une fois que toutes les brindilles sont enflammées et le reste bien disposé autour, ça fait une grande pyramide de presque un mètre de haut, avec ce petit feu qui grandit à l'intérieur. Il n'y a plus rien à faire, simplement attendre et regarder, tout en prenant soin de se munir de ce que j'appelle un bâton de feu, celui qui va me permettre de bouger le bois, faire des retouches. Ce bâton ne doit être ni trop long ni trop court, il doit être léger, mais pas cassant. Il doit me permettre de déplacer de grosses branches, de faire levier parfois. J'en ai trouvé un légèrement courbé, avec une tête en forme de spatule, un peu. C'est mon bâton. Il n'y a que moi qui ai le droit de l'utiliser. Si Sucré veut s'occuper du feu il doit s'en trouver un. Et on verra qui a le meilleur bâton.

Il y a de grosses flammes maintenant. La lumière a encore décliné, il commence à faire bien frais. Sucré dit que si on veut ramener une grosse bûche c'est maintenant, parce que après il va faire nuit. Sur le coup je ne réponds pas. Je me dis que ça va peut-être me suffire de voir brûler ce qu'on a déjà mis. Je sais pas, je dis. Si on met une grosse bûche, il va durer longtemps ce feu. Et Sucré va finir par me poser des questions.

Il fait nuit maintenant. Nous sommes allés chercher du bois, de la bonne branche. On a tout balancé directement. C'est un gros feu. Pas immense, mais honnête. Je tourne autour de lui avec mon bâton, je déplace des branches de manière à ce que tout se croise. L'idéal serait de parvenir à faire en sorte que le bois disposé dessine un astérisque. Il y a un morceau qui s'est trouvé projeté hors du feu, alors du bout de mon bâton, assez long pour que je n'aie pas à me pencher, je le fais rouler pour le remettre dedans, et en l'enfonçant entre deux branches il y en a une troisième qui s'affaisse, alors je la remets droite, et là c'en est une autre encore qui roule vers l'extérieur, et ainsi de suite, on peut être très occupé avec un feu si on n'a pas que ça à faire que de le regarder brûler. Il y a des moments où je m'assois, je fume une clope, je prends un peu de frais parce qu'à force de bosser sur le feu je transpire, je le regarde, et je n'ai pas tiré trois lattes que déjà je vois une branche dont la position ne me satisfait qu'à moitié. Je me lève et la déplace, et en venant me rasseoir je constate que j'ai créé un décalage, et merde, je me relève, et quand je pose enfin mon cul sur ce putain de rocher ma clope est terminée, et Sucré rajoute une branche qui perturbe toute mon organisation.

J'ai demandé à Sucré de rouler le joint parce que j'étais trop occupé avec le feu. On tire deux lattes chacun et on se le passe. Je ne m'occupe que du feu. Je le coiffe. Face au feu, il n'y a rien à dire. Je préfère garder mon air pour mon foyer, pour quand j'aurai à souffler sur les braises.

Le feu est encore grand quand on décide de rentrer.

Papillon

Il y en a qui sont blindés quand même. Pour arriver devant le grand portail blanc il y a une sacrée côte à monter, alors quand j'arrive je transpire un peu. Je pose le vélo contre le mur d'enceinte, j'allume une clope, je m'évente avec mon tee-shirt. J'ai dans l'idée d'être présentable. D'ici je devine que la maison est super loin, il y a une allée, des arbres. Elle a dit qu'elle gardait la maison des parents d'une copine, partis en vacances ou je ne sais plus trop quoi, j'ai arrêté d'écouter quand elle a mentionné la piscine dans le jardin. C'est vrai qu'il est grand ce portail. J'ai des scrupules à laisser mon mégot par terre, mais je le fais quand même. En sonnant à l'interphone je constate qu'il y a une caméra. J'entends sa voix, je dis c'est moi, et le portail s'ouvre. Je m'approche de l'objectif, je dis tu m'vois là, elle répond oui. Tu me trouves beau je demande, et là elle fait non, t'es déformé par la caméra.

Je marche à côté du vélo. À droite du vélo. J'ai marché trente mètres et je ne suis toujours pas arrivé quand Wanda ouvre la porte de la maison. Là, il y a un truc qui sort, et quand je le vois arriver vers moi je me dis oh non, c'est pas vrai, qu'est-ce que c'est que ce p'tit chien de merde, exactement le genre que je déteste, une sorte de caniche ou je ne sais quoi là, le genre tout excité complètement con, qui pète sa gueule sans arrêt, il vient en courant il s'arrête à dix mètres à peine, et là ça y est il m'engueule, il m'aboie dessus, il sort les crocs, trop vénère le truc, je ne sais pas ce qu'il veut me dire, sûrement quelque chose comme t'es qui toi connard casse-toi de chez moi, allez casse-toi enculé, et moi je le prends mal, t'arrives il te reçoit comme ça l'autre, ça ne se fait pas, sérieux. Je dis à Wanda hey, range ton bordel là, c'est quoi ça, et elle a beau l'appeler, la bête en a après moi. Je dis ma parole j'rigole pas, sur la vie de ma mère j'vais lui mettre un shoot à ton clébard, et il se rapproche le chien, je me mets en position défensive, moitié en garde moitié baltringue. Je lâche le vélo et ça le fait reculer quand il tombe au sol. Je commence à faire le mec, genre qu'est-ce t'as tu veux qu'on s'tape, et je sens que ça l'impressionne, mais derrière Wanda me dit de faire quand même attention à ne pas trop l'énerver, et à force de l'appeler il finit par revenir vers elle et se calmer. Je retourne chercher mon vélo en m'excusant auprès de lui de l'avoir laissé tomber comme de la merde, puis le pose contre un arbre situé près de la maison. Wanda m'attend sur le seuil. Elle est vêtue d'un paréo blanc qui l'entoure d'au-dessus de la poitrine jusqu'à mi-cuisse. Je me demande si elle est nue en dessous. Elle a les cheveux attachés en chignon, ça fait ressortir le dessin de sa nuque, et quelques mèches ondulées parcourent son visage jusqu'à lui caresser le menton. Et cette pose,

toujours la même, sur une jambe. Le chien est juste derrière, assis. On est bien reçu chez vous, je dis.

On traverse la maison et ça me laisse assez de temps
pour penser qu'il y a un paquet de trucs à piquer ici.
Il y a une grande salle à manger, et une bibliothèque
comme je n'en avais jamais vu sur ma gauche. On passe
une porte-fenêtre et on arrive sur une terrasse à trois
niveaux au bas de laquelle il y a un replat, et une piscine,
une piscine creusée, avec la dalle autour, les échelles et
tout. Et ce n'est pas juste un rectangle, elle a une forme
d'œuf déformé, genre les personnages de *Barbapapa*,
avec une protubérance arrondie. Ça fait jacuzzi quand
on l'allume, dit Wanda. Il y a un pédiluve, et une petite
douche. Aujourd'hui il fait beau, ça crame quand on
reste au soleil. L'eau par contre il y a moyen qu'elle soit
gelée. Sur le premier niveau de la terrasse, un salon de
jardin avec table chaises et parasol, et sur le deuxième
niveau du mobilier détente. Ce ne sont pas les merdes
en plastique blanc qu'on a chez mon père. Il y a du teck,
de la résine tressée, ça ne rigole pas. Après c'est de la
pelouse qui descend jusqu'au replat où se trouve la piscine, et puis qui continue de s'étendre sur un léger faux
plat bientôt coupé par des arbres annonçant la forêt.
Notre ville c'est une cuvette. Il y a une colline de chaque
côté. Celle où nous sommes, rive ouest, et en face celle
sur laquelle est construite la cité des Tours, rive est. D'ici
on a vue sur tout ça. Du haut de la terrasse je vois la forêt
d'abord, puis le collège privé, les lotissements de l'ouest,
avec les mecs à scooters, la gare, mon quartier, le canal,
le centre-ville, le pont au-dessus du fleuve, la colline, les
Tours, et je devine un peu la cité scolaire, l'hôpital, les

Bâtiments. Je devine aussi la maison de Romain, pas loin de la gare, et j'imagine les gars là-bas. Je me demande ce qu'ils peuvent bien être en train de foutre, mais ce n'est pas comme si l'éventail de possibilités était large. J'aperçois la salle de boxe aussi, où j'étais pas plus tard qu'hier. Je n'ai pas trop mal boxé, mais j'étais un peu court au niveau du souffle. Je vois tout ça en même temps et je me dis que ma vie est là, dans cette cuvette. Pour en sortir il faut grimper. Je dis que ce qui est agréable quand on prend de la hauteur c'est le sentiment de domination que ça procure, et elle me demande si je veux boire quelque chose.

Elle a retiré son paréo, elle est en maillot de bain dessous. On s'installe sur des transats. J'ai pris un jus d'ananas. Après en avoir bu une gorgée, je le place sous le transat, à l'ombre. J'allume une clope. Elle aussi. On place entre nous deux un petit tabouret sur lequel on met le cendrier, nos paquets de clopes et elle son verre. Elle est allongée sur le transat, moi je suis assis. Je lui dis bah alors, on va pas se baigner ? Elle dit tu rigoles ou quoi, là on s'enflamme parce qu'il fait beau mais l'eau elle doit être trop froide. Je dis mouais, quand même je piquerais bien une tête, et elle répond bah déjà on prend le soleil, et ça me donnera peut-être envie d'y aller. Je dis d'accord, je chope mon jus d'ananas pour en boire une gorgée, et je m'allonge.

Elle sort de je ne sais où une petite fiole dont elle retire le capuchon, puis elle se la passe sur les bras, le torse, le ventre, les cuisses. Ça coule. C'est gras. Ça sent bon. Je la regarde faire. Elle me voit la regarder faire. C'est du monoï elle dit, et je réponds ah. Elle croise les bras et se frotte les épaules d'abord, petites épaules, elle étale l'huile le long de ses bras, fins, dans le même geste revient dans le cou, descend sur le torse, se badigeonne la poitrine, généreuse, se tourne un peu pour les flancs, vient sur le ventre, taille de guêpe, se tourne encore pour les hanches, et puis les cuisses, en descendant vers les jambes, élancées, vite fait les pieds, pas jolis. Quand elle a fini je lui demande s'il ne faut pas en remettre une deuxième couche. Elle dit non pourquoi. Je dis que peut-être c'est plus sûr. Elle commence une phrase puis croise mon regard. Elle se met à rire en disant t'es con, et puis elle ajoute que je ferais mieux de ne pas trop faire le malin et de mettre de la crème, sans quoi je vais cramer et puis pleurer après.

J'ai fumé quatre clopes et je n'ai plus de jus d'ananas. Je transpire à grosses gouttes. Les beaux jours c'est l'occasion d'avoir l'air moins pâle. Je plisse les yeux et fronce les sourcils. Quand je bronze bien ça me fait des marques, comme des moustaches de chat autour des yeux. Le jardin est cerclé de plantations, fleurs buissons thuyas, excepté en un seul endroit, où une bande de terre retournée d'une quinzaine de mètres de longueur laisse un vide. Je dis à Wanda que c'est bizarre ce trou, et elle me dit que non, parce qu'en fait ici ils ont planté une variété de bambou dont la graine ne donne rien pendant quatre ans avant de pousser de douze mètres la cinquième année. Je dis c'est marrant, et elle répond un truc vague que je n'entends pas bien, comme quoi la vie c'est ça, semer des graines.

Je dis que j'ai chaud. Elle dit qu'elle devrait enlever le haut de son bikini. Je dis qu'elle devrait enlever le

haut de son bikini. Elle rit, elle enlève le haut de son
bikini. Je m'assois et me penche en avant, coudes sur
les genoux, pour cacher mon érection naissante. On
entend la route, mais de très loin. Elle parle de ce qu'elle
fera après les vacances, maintenant qu'elle en a fini avec
son école. Wanda elle fait de la photo. Elle me montre
souvent des choses pour m'expliquer pourquoi elle les
trouve belles. Ça me change, alors j'aime bien. Elle me
parle de ses opportunités, de ce type qu'elle a rencontré et qu'elle pourrait assister, pour commencer. Elle
a établi un plan qui s'étale sur les cinq ou six années à
venir. Moi la seule chose dont je suis sûr c'est de mon
combat dans six jours. Au-delà, il n'y a rien. Alors que
j'attrape une clope et l'allume, elle me dit stop, ne bouge
plus, et puis elle se lève et se dirige vers la maison. Elle
se presse, on entend ses pieds nus sur la dalle de béton,
ça fait bouger ses seins, alors je quitte la pose et la suis
du regard. Quand elle revient elle s'est munie de son
appareil. T'as bougé, elle fait, je dis oui. Et puis j'ajoute
non, tu me prends pas en photo, et sans considérer mon
propos elle me demande de reprendre une autre cigarette et de l'allumer, exactement comme je viens de le
faire. Celle que j'ai dans la main je lui donne, et face à
moi l'appareil s'est substitué à son visage, si bien qu'on
croirait que c'est à lui qu'appartiennent cette chevelure
ondulée et cette magnifique poitrine. Je ne me rappelle
pas bien comment je l'ai allumée, cette cigarette, alors
je ne me pose pas plus de questions et j'allume celle-ci.
J'entends le bruit que fait l'objectif quand il fige l'image.
J'ai tiré la première latte et elle continue d'appuyer sur
le bouton, alors je lui demande et maintenant, je fais

quoi, elle répond fume, me regarde pas. Je fume. Elle me prend sous plusieurs angles, se déplace autour de moi, et c'est difficile de ne pas regarder dans sa direction. Je lui demande ce qu'elle a pu trouver beau en m'observant, et elle répond que c'est ma gueule cassée qui l'intéresse. Je la joue faussement outré en disant que c'est bien la peine de s'acharner à esquiver tous les coups si c'est pour s'entendre dire qu'on a une gueule cassée, et là elle baisse l'appareil, m'examine quelques secondes, puis se corrige en disant que non, finalement ce n'est pas ma gueule qui est cassée, mais mon expression. Je me déclare ravi pour elle si ça peut faire une bonne photo, mais bien vite je perds patience car la piscine m'appelle.

Je suis debout au bord de l'eau. Wanda est restée sur le transat, elle a rangé son appareil à l'intérieur pour qu'il ne soit pas au soleil. Je trempe un orteil, sa mère, elle est gelée. Je dis sa mère, elle est gelée, et je ne sais pas si elle m'entend. Si je m'assois là, les jambes dans l'eau, je lui tournerai le dos, alors je fais le tour de la piscine, comme ça je l'ai bien en face, même si du coup je me retrouve avec le soleil aux trois quarts sur la nuque, donc je me décale un peu et me retrouve dans une position où en tournant légèrement ma tête sur la gauche je vois Wanda, et en le faisant sur la droite j'ai le soleil en pleine gueule. Voilà.

Mes jambes se sont habituées. Au bord comme ça, avec la réflexion du soleil, je sens que je crame. Je plonge mes mains dans l'eau et me les passe sur la nuque, sur les épaules, et puis le torse, et puis partout où je suis sec. Je glisse dans la piscine en partant de la position assise, paumes posées contre le rebord, jambes tendues je me redresse et descends en allumette. Quand mes épaules arrivent dans l'eau je lève les bras, me laisse plonger jusqu'au fond, pour y prendre appui, remonter telle une torpille et enfin retomber comme la queue d'une baleine bleue. Ça en fait des éclaboussures. Elle est glaciale, ça me fait éructer une onomatopée grasse et caverneuse, quelque chose entre le plaisir et son contraire. Je nage quelques brasses, je place un crawl, j'arrive au bord, salto avant vrille et appui contre le mur, un peu d'eau dans le nez mais on va faire comme si de rien n'était. Je dis à Wanda qu'elle devrait venir, elle dit ouais c'est ça, bientôt.

L'eau je n'aime pas y entrer, mais je n'aime pas en sortir non plus. J'ai toute une batterie de mouvements qui peuvent me permettre de tuer une après-midi sans problème. Je commence par le dauphin. C'est axé sur l'ondulation. La seule chose qui me ramène à la surface, c'est mon asphyxie quand elle me rappelle que je n'ai pas de branchies et que je ne suis donc pas un poisson. Ça me frustre alors je me lance des défis, comme faire l'aller-retour sous l'eau. La piscine n'est pas grande, j'en fais deux. Et quand je n'ai plus de souffle, je fais la planche. Du moins j'essaie. J'ai usé des dizaines d'heures dans des piscines à essayer de la faire. Impossible, le principe m'échappe. Je coule tout le temps. Ce qui me plaît dans l'idée de faire la planche, c'est la possibilité d'être efficace en étant immobile. Dans l'eau, dès que je ne bouge plus, je coule. Comme dans le ring. Alors que dans la vie je ne vais que là où j'ai pied. La différence, c'est que dans l'eau je sais quels sont les mouvements à effectuer pour ne pas me noyer.

J'ai récupéré de l'énergie, alors je pars sur des saltos. J'ai une technique à base de bras en croix et de soufflage par le nez pour tourner très vite. Je tourne jusqu'à me donner le tournis, quand j'ai assez d'air, en avant comme en arrière. Avoir le tournis sous l'eau c'est génial, on ne sait plus où est la surface, parce qu'on ne peut pas tomber par terre. En soufflant par le nez je peux faire ce que je veux sous l'eau, mais je dois faire gaffe en remontant, parce que souvent c'est un coup à se retrouver avec un gros filet de morve en travers de la joue.

Enfin, fatigué de mes cabrioles, je me vide les poumons pour aller me coller au fond de la piscine. Sans air dans les poumons, on devient une enclume. Je me mets là où j'ai pied, penché vers l'avant. Je souffle doucement, à un rythme régulier. Quand je sens que je commence à couler, je donne une légère impulsion avec la pointe de mes pieds, et alors je descends vers le fond de la piscine avec le mouvement de balancier d'une feuille de chêne qui tombe de son arbre en automne. Arrivé au fond, face contre terre, j'ai encore assez d'air en réserve. Je place mes mains sous mon menton, et je reste là.

Wanda s'est approchée. Elle s'est assise au bord, les jambes dans l'eau, comme moi tout à l'heure. Elle n'a pas spécialement cherché à déterminer l'axe du soleil, elle a marché tout droit depuis le transat. La partie droite de son visage est ombragée. Je suis dans la piscine, debout, l'eau m'arrive au torse, juste sous les aisselles. Elle s'amuse à m'envoyer de l'eau du bout de son pied, et je la préviens qu'elle n'est pas vraiment en position de jouer à ça avec moi. Elle dit qu'elle devrait avoir le droit de m'embêter sans que ça lui retombe dessus, et

je réponds que c'est un point qui se discute. Elle continue, alors d'un revers de la main je lui en envoie un peu
sur les cuisses, et elle hurle de manière tout à fait dis-
proportionnée. Va te faire foutre elle dit, et elle rit. Elle
tend les jambes et d'un geste vif je passe ma tête entre les
deux, puis elle les referme pour enserrer mon cou entre
ses mollets, accompagnant son geste de bruitages pour
faire comme si c'était violent comme action. D'ici je vois
mieux sa poitrine. Ses seins ont une manière bien à eux
d'être rebondis comme un joli cul. Elle me voit les regarder. Elle détache ses cheveux, qui leur tombent dessus, je
rehausse le regard. Elle me fixe dans les yeux et en même
temps elle croise ses pieds derrière ma nuque, ça resserre la prise. Elle se penche un peu en arrière, pose les
mains sur la dalle pour prendre appui, lève les hanches
et plie les genoux, ce qui a pour effet de me catapul-
ter droit vers son sexe qui trône sur le rebord de la piscine. Elle relâche le mouvement et reprend sa position
de départ. Elle est impassible. Pas un rictus, que dalle.
Ça me nique un peu la nuque sa prise, alors je fais mine
de lui envoyer de l'eau avec ma main droite et ça la fait
s'agiter assez pour que je puisse plonger en canard vers le
fond de la piscine. Je m'éloigne, je fais comme un demi-
cercle et puis je reviens, tout ça sous l'eau, mais quand
je remonte et que je pose mes avant-bras sur le rebord
elle marche vers le transat. Je regarde son fessier rouler au rythme nonchalant mais néanmoins cambré de
ses pas. Quand elle arrive au transat, elle se retourne
et regarde dans ma direction comme si elle savait que
j'étais en train de la mater. Je l'observe s'asseoir, attraper
une serviette et s'essuyer les jambes avec. Prendre son

paquet de cigarettes sur le tabouret, en sortir une. Chercher le briquet, le trouver, allumer la cigarette. Fermer les yeux en tirant la première taffe, poser la tête contre le transat, puis me fixer. Tout ça elle le fait lentement, avec soin. Moi je n'ai pas bougé, mais comme je commence à me les cailler, je sors de l'eau. Il y a une serviette là, je me sèche les cheveux, les épaules et les bras, je descends sur les flancs, vite fait le dos, et puis les jambes, et je me dis que ça ne doit pas être aussi sexy que quand c'est elle qui le fait.

Une bestiole vient se poser sur mon bras gauche et un réflexe me fait lui mettre un revers de la main droite, et je le vois l'insecte, projeté sans ménagement vers la piscine. En heurtant la surface de l'eau la bête se débat, et ce que je croyais être une mouche ou une guêpe s'avère être une coccinelle. C'est mignon une coccinelle. Ce n'est pas le genre d'insecte à qui on a envie de niquer sa race quand il est dans les parages. Allongé sur le ventre au bord de la piscine, je tends le bras pour la récupérer, puis la ramène et la pose sur la dalle. Elle se remet à l'endroit et commence à marcher. Je pose mon index gauche sur son chemin et elle grimpe dessus, puis je la transvase dans ma main droite. Je vois qu'elle essaie de s'envoler mais ses ailes, mouillées, ne peuvent pas s'ouvrir. Elle se dirige vers mon poignet, s'arrête, essaie ses ailes encore une fois. Ça ne fonctionne pas. Elle n'a pas l'air de bien comprendre ce qui lui arrive la coccinelle, parce qu'elle insiste, mais finalement elle s'épuise. J'approche mon poignet de ma bouche et je lui souffle dessus. Elle s'immobilise. Wanda me demande ce que je fais, je lui réponds que je suis en train de sauver la vie d'une coccinelle. Elle attrape sa petite fiole de monoï et commence à s'en mettre un peu partout. Méticuleuse. Elle en dépose une noisette partout où ça lui permettra de l'étaler ensuite. Comme c'est gras son truc, ça coule à peine. La voilà la deuxième couche, elle dit. Tout à l'heure elle se passait la crème, là elle se masse. Elle fait ça doucement, elle ne néglige aucun recoin de son corps. La coccinelle chemine jusqu'à mon coude, et je ne lui souffle plus dessus, je regarde Wanda se pétrir de partout, et je me demande si elle est en train de se chauffer ou si elle s'amuse. J'ai un regard pour la coccinelle. Elle a voulu s'envoler et seulement l'une des deux ailes s'est ouverte, délivrant avec elle une grosse goutte d'eau. On dirait qu'elle n'arrive même plus à la refermer. Je profite que ce soit à moitié ouvert pour souffler à nouveau, et chaque fois que je prends de l'air je tourne la tête vers Wanda qui se met de l'huile. La coccinelle a rangé son aile, mais n'a pas su la rouvrir depuis. Je souffle dans mes mains comme en hiver après avoir lancé une boule de neige, ça lui fait un sèche-cheveux à la coccinelle. Je me retourne vers Wanda pour pouvoir souffler tout en la matant. Pendant qu'elle s'attrape les seins à deux mains, par en dessous, en les ramenant quasiment sous le menton, je vérifie que la coccinelle est toujours dans ma main. Je dis à Wanda que j'arrive, à un moment où je m'arrête quelques secondes pour reprendre de l'air. Elle a un rictus, et sa main droite commence à descendre de sa poitrine vers son ventre, puis son pubis, par-dessus le maillot de bain d'abord, par-dessous après quelques va-et-vient. Je dis attends, pas si vite, parce que la coccinelle a réussi à ouvrir ses deux ailes, mais elles sont encore trop imbibées pour qu'elle s'envole. Je pourrais la laisser dans l'herbe. Wanda a une main qui caresse son sexe et l'autre posée à cheval entre ses deux seins qu'elle comprime entre ses bras. Elle a repoussé ses cheveux vers l'arrière pour que son buste soit bien visible. Elle commence à onduler du bassin. De là où elle est elle doit voir que je bande. Je dis j'arrive, je ramasse la coccinelle. Celle-ci je ne peux plus l'abandonner. Je culpabiliserais de la laisser à son sort. Je souffle encore dessus, je lui dis allez petite coccinelle, on y est presque, on va y arriver, et Wanda n'est plus du tout dans la suggestion, elle se branle carrément. Le transat bouge, elle a un pied qui touche au sol et par moments elle appuie dessus, ça fait reculer la chaise derrière. Elle se frotte le clito et son geste est de plus en plus appuyé, et je me dis que c'est le moment de la rejoindre, parfois elle monte vite. La coccinelle ouvre ses ailes qui ont l'air d'être tout à fait sèches maintenant. Je l'incite à prendre son envol, et pourtant elle reste là, les ailes ouvertes. Wanda ne regarde plus dans ma direction. Sa tête a basculé sur le côté, sa bouche est entrouverte. Elle a mis les deux mains. Il y en a une qui maintient le tissu et écarte les lèvres, et l'autre qui travaille. Ma coccinelle a sept points sur le dos. Elle a marché jusqu'à mon bras. Je me tourne en direction du soleil, comme si ça allait la réchauffer plus vite. Je la reprends dans mes doigts. J'entends Wanda gémir. Elle s'envole.

Quand le soir a commencé à tomber, nous avons remis des vêtements et nous sommes rentrés. Elle n'a pas aimé le Pablo. Elle a eu du mal avec le roi de pique. Pourtant c'est très simple. Le roi de pique vaut zéro, point barre, c'est pas compliqué. Ça lui a fait jeter les cartes en disant que de toute façon ça ne lui plaisait pas comme jeu. J'ai dit que c'était dommage, elle s'est moquée de moi. Elle a dit que ce n'était pas comme si on perdait quelque chose. Je n'ai pas pu le prendre autrement que comme une remise en question de ma vie entière.

On s'est mis sur le canapé, dans le salon. Elle a proposé qu'on regarde un film. On a parlementé un moment, et au final elle a émis le désir que je lui fasse découvrir quelque chose. Ce que tu veux, elle a dit. Je n'ai pas réfléchi longtemps. Il y a ce film, devant lequel mon père me mettait quand j'étais petit et que je faisais trop chier. Ça s'appelle *Papillon*, j'ai dit.

On a regardé le film. C'est l'histoire d'un prisonnier du bagne de Saint-Laurent en Guyane qui passe son temps à s'évader. Wanda n'en avait jamais entendu parler, et ça l'a rassurée quand elle a vu qu'elle connaissait l'acteur principal. J'ai scruté ses réactions. C'est relou, quelqu'un qui nous regarde réagir. Elle ne s'en est pas plainte. Chaque fois que je tournais la tête vers elle, elle me regardait d'un air bienveillant, avec une douceur que jusqu'ici je ne lui avais connue que par bribes. Elle m'a même caressé les cheveux à un moment. On a fait des pauses clope parce qu'elle ne voulait pas que je fume à l'intérieur. De la terrasse j'avais cette vue sur la ville, illuminée cette fois. Wanda m'a expliqué comment on prend des photos la nuit. Elle a parlé d'ouverture, d'obturation, de sensibilité, je n'ai pas tout compris. Ce qui m'a plu par contre, c'est la joie qu'elle a dégagée quand elle en a parlé. Elle veut vivre de sa passion. Elle m'a décrit certains de ses projets. S'y projeter, ça la rend heureuse. Je me suis dit qu'elle était chanceuse d'avoir trouvé sa voie, alors que moi je refuse de faire ce pour quoi je suis fait.

J'ai proposé qu'on fume un joint, elle a dit non, plus tard. Ça m'a dissuadé. Vers la moitié du film elle a collé son épaule contre la mienne. Avant ça on ne se touchait pas. Ce n'est pas allé plus loin. Ça m'a traversé un paquet de fois l'esprit de me rapprocher, mais je n'ai rien fait. À la fin du film, Papillon est placé sur l'île du Diable. Que des falaises. Impossible de s'échapper. Les captifs vivent dans des maisons de pierre et s'occupent de leur potager. Papillon, lui, du haut de la falaise, compte les vagues. Il prend la bonne. Et la tangente par la même occasion. La dernière image le montre, en pleine mer, juché sur sa bouée de fortune faite de noix de coco, cramponné, et hurlant vers le ciel comme envers ses persécuteurs, bande de fumiers, j'suis toujours vivant. La survie comme unique cap, et l'horizon comme seule porte de sortie.

Il faut rouler un joint là. C'est ce que je dis en me redressant et en me penchant vers ma sacoche, posée sur la table basse. Elle dit non, puis pose sa main sur mon bras, pour ensuite me saisir au niveau du poignet. En se levant elle dit qu'elle a une autre idée. Elle me tient toujours. Le regard qu'elle me lance, c'est bon j'ai compris. On va monter on va se rouler des pelles et puis je vais lui bouffer la chatte, elle va jouir et s'endormir, et puis voilà. Je vais adorer le faire, ce n'est pas la question. C'est juste que c'est peut-être le moment de lui opposer quelque chose. En plus j'ai vraiment envie de fumer. Je n'ai pas fumé aujourd'hui, je suis arrivé ici en début d'après-midi, à l'heure où je commence d'habitude. Ça

m'en fait des arguments pour lui dire non. Pour la faire
languir. Pour faire le mec qui a des couilles. Mais je n'ai
pas les couilles parce que j'espère. Parce que c'est peut-
être pour cette fois. Parce qu'elle peut me remplacer sur
un claquement de doigts. Parce qu'elle me donne déjà si
peu que ne plus rien me donner n'y changerait certainement plus grand-chose. Alors je ne dis rien, et je la suis.
Je la laisse faire de moi son servant, parce que c'est déjà
ça. Nous avons monté l'escalier, elle prend ma bouche.
Elle passe sa langue sur ma lèvre supérieure. Ça achève
de m'exciter. Je voudrais qu'elle le fasse sur mon sexe.
Et si c'était une manière de me dire qu'elle allait le faire.
C'est l'espoir qui me rend servile. L'espoir qu'une chose
arrive sans que j'aie œuvré pour. Comme une récompense, pour bonne conduite. Jamais d'écart, tout dans
les clous. Alors pourquoi pas.

Elle s'est endormie, comme d'habitude. Je suis allongé
à côté. Il fait nuit maintenant. Après qu'elle a joui je suis
venu me mettre contre elle, sans qu'elle me repousse.
Elle est sur le flanc, une jambe par-dessus les miennes,
la tête à moitié sur un oreiller à moitié sur mon épaule.
Les bras contre la poitrine, mains sous le menton. Au
moindre mouvement je prends le risque de la réveiller.
J'ai envie de fumer. Mais j'ai sommeil. Je me positionne
de manière à l'enlacer. Ça bouge un peu elle émet un son,
ne se réveille pas. J'ai ma cuisse entre ses jambes. Elle
pose une main sur mon torse. Je m'endors.

Je me réveille. On est moins enlacés mais quand
même. J'ai toujours un bras autour d'elle mais elle a basculé sur le dos. Ça me coupe un peu la circulation mais
ce n'est pas ça qui m'a réveillé. J'ai froid et je transpire.

Mon visage, ma nuque, mes épaules presque, sont trempés. J'ai des frissons. Je me décale un peu, sans dégager mon bras, je m'essuie avec le coussin, mais ça n'est pas très efficace. J'essaie de récupérer mon bras sans la réveiller mais je rate mon coup, elle émet un son d'abord, s'étire, bâille, et alors que je suis quasiment debout à côté du lit, elle me demande où je vais en chuchotant. Je dis j'arrive. Je trouve la salle de bains et une serviette par la même occasion. Dans la glace je suis tout jaune. À moins que ce soit l'éclairage. J'ai l'air bien jaune quand même. Sale gueule.

Quand je reviens dans la chambre je me penche sur Wanda et propose de rouler un joint. Dans sa somnolence elle m'attire à elle et demande que je dorme là, à ses côtés. Le drap est mouillé là où j'étais. Je me décale en me rapprochant d'elle, on se met en cuillère, moi sur elle. Je retourne l'oreiller. Les volets sont entrouverts et la lune est presque pleine. Le drap est baissé, je vois sa silhouette. Les ombres accentuent les courbes. Je pose ma main sur un sein. Mon érection est instantanée.

Je me réveille. Je suis trempé. Le lit est trempé. J'en ai fait une baignoire. Et ces putains de frissons. Wanda ne semble pas en ressentir les effets. Je me lève, elle ne bronche pas. Je pars vers la salle de bains, je me dis nique sa mère, je prends une douche. Je la prends bouillante. En sortant je me sèche et je sens sur ma peau les frissons qui me parcourent, comme on sent l'électricité statique. J'enfile mon tee-shirt et avant de m'allonger je pose sur le matelas une serviette que j'ai prise dans la salle de bains, là où je vais m'allonger, parce que les draps sont trop mouillés. Une fois installé c'est un soulagement qui vient, parce que je me sens propre. Le lit est un peu plus accueillant maintenant. Et Wanda est là. Je viens me coller contre elle. Je suis bien, j'ai tout pour être bien. T'es bien là Jonas, bordel.

Je me réveille. L'encolure du tee-shirt est mouillée jusqu'au diaphragme. Ce n'est plus une baignoire, c'est une piscine. Et pas une piscine où je peux faire des saltos. Je me lève, je m'habille, je réunis mes affaires. Wanda n'a pas bougé, position fœtale. Avant de passer la porte je reste debout comme ça, comme un con. Je la regarde dormir, et cette place vide à côté d'elle, à laquelle elle tourne le dos, cette place où je me suis liquéfié, on distingue presque ma silhouette dans la flaque, comme les contours d'un cadavre à la craie. La scène de mon crime. Crime de lèse-majesté.

Vu que la maison est sur une colline, en premier je me tape la descente. Elle est courte, mais très raide, c'est du quinze pour cent. Je donne de la pédale avant de l'amorcer, j'arrive pleine balle dans le virage après lequel la pente s'amorce, et je me mets en position aéro-dynamique, le cul en l'air, la tronche sur le guidon, les épaules serrées le dos cambré, vent dans la gueule, descente vertigineuse, on se redresse un peu, commence à appuyer sur le frein, virage à droite puis virage à gauche, avec un croisement au milieu, faut être ferme sur le guidon. Je passe pleine patate, entre deux lotissements, en direction du centre, je traverse la nationale, j'arrive au quartier. Les lampadaires orange. C'est fermé à clé, ça veut dire que mon père dort. J'entre à pas de loup, et à peine trois minutes plus tard je suis en caleçon dans mon lit, porno sur l'ordi, matos sur les cuisses. J'effrite un joint de compétition, j'en mets deux dans un seul. Je tombe sur un porno à l'ambiance sombre, lumière braquée sur l'action, coït focal. Le genre qui implique un jeune couple et une belle-mère lubrique qui leur montre comment on fait. Je mets les écouteurs pour ne rien rater des dialogues, et j'éventre une cigarette.

Quand j'ai fini de rouler le type est en train de dézinguer la belle-mère alors je pose le joint sur la table de chevet, j'éteins la lumière, et je commence à me branler. Il les prend à tour de rôle et elles se font des trucs entre elles. Je focalise surtout sur la daronne, une brune bien en chair, avec d'énormes nibards. Elle y va. Je jouis en même temps que le mec, sauf que moi c'est dans un mouchoir, et lui dans la bouche de la belle-mère siliconée, qui en fait profiter sa belle-fille en lui roulant des pelles. Elle continue de le sucer vite fait mais j'ai déjà éteint la page.

J'ai porté le joint à ma bouche. Chargé. Presque chaque taffe me fait tousser. J'ai chaud dans les tempes, mes paupières s'affalent. J'ai mis de la boxe en fond visuel. Avec la lumière de l'écran, dans le noir, tout autour c'est comme un précipice. La fumée de mon joint, marron, enveloppe les boxeurs. Le foyer, rouge, trace des courbes quand je vais cendrer. Pour voir ce qui me reste à fumer je passe le joint devant l'écran. Il m'a déjà bien attaqué. Il en reste pas mal à fumer. Je tiens à le finir, mais je somnole entre les lattes. Je suis bien, là. Dans cette bulle je n'ai de comptes à rendre qu'à la partie de moi la plus complaisante. Celle qui cautionne tout du moment qu'on lui pardonne. C'est ma place. Je peux être paresseux, je peux croupir, ne me soucier de rien, je n'ai mal nulle part.

Deux rounds et demi

À la pesée, le matin, c'est tendu l'ambiance. Il manque encore des boxeurs, tout le monde n'est pas encore là. Kerbachi n'est pas encore là.

Parmi les entraîneurs, tous vieux, il y en a deux ou trois avec qui monsieur Pierrot ne s'entend pas. Les autres, il les tolère, du moment qu'ils ne le font pas chier. Mais pour de vieilles rancœurs les vieux s'engueulent, et leurs boxeurs sont là, en slibar, à attendre comme des cons. Et moi aussi je suis là, à rien faire si ce n'est plus ou moins me foutre de la gueule du vieux, intérieurement bien sûr, parce qu'il me fait marrer quand il s'excite. Ah ça il n'est pas content, et vas-y qu'il le fait savoir, même s'il bégaie un peu à propos d'une sombre histoire d'arbitrage, mais derrière il enchaîne sur les problèmes de licence de je ne sais qui, et c'est vrai que là-dessus il est irréprochable le vieux. Et ce n'est même pas moi qui le dis, c'est lui. En voilà un qui sait s'en sortir quand on l'emmène dans les cordes. Ça gueule mais ils ont l'habitude, c'est toujours comme ça de toute façon. Je les connais tous ces gens, on se voit souvent lorsqu'il y a des combats, ou pour du sparring. Surtout celui avec

213

la moustache, dont je ne sais jamais s'il est entraîneur ou président du club de la ville d'à côté, ou même tout à la fois, et qui avait été gentil avec moi quand j'avais été volé par les juges, en junior. Ces vieux-là ils trimballent des casseroles, entre les décisions maison, les défauts de paiement, et puis des trucs perso qu'on ne connaît pas. Ils en ont des choses à se reprocher. Moi j'aimerais bien intervenir pour leur demander d'aller régler ça dans le ring. Je ne l'ai jamais vu boxer, le vieux. J'aimerais trop.

On passe les uns après les autres, le délégué annonce les poids à voix haute. Il y aura huit combats en tout, dont deux en boxe éducative pour ouvrir le bal, les autres en amateur. On est quatre du club à boxer. Virgil va se taper un type que j'ai combattu en junior. C'est un trapu qui cherche le corps à corps. Il est petit, moi j'avais dû lui rentrer trois mille fois mon jab, il ne m'avait quasiment pas touché. J'ai gagné avec mon bras gauche. Il n'y a que dans le troisième round qu'il a réussi à s'approcher, et j'avais pu voir que ça partait vite les crochets courts au corps. Et que c'était un vicelard aussi. Coups de tête, coups bas, marcher sur le pied, ce genre de trucs. Je ne sais pas s'il le fait toujours, mais c'est quelque chose qu'on a dans le sang. Ça m'arrive de truquer, mais jamais pour frapper l'autre, toujours pour éviter ses coups, gagner du temps. Virgil est dans le même style que ce type, le vice en moins, mais à l'aise dans la bagarre, sauf que plus mobile, plus varié. Je lui dis à Virgil, ou plutôt je lui chuchote à l'oreille parce qu'on est dans un gymnase et que ça résonne, hey Virgil, celui-là je l'ai boxé déjà. Il dit ah ouais, et il est bon ?, je dis ouais, mais c'est un fils de pute tu vas voir, et Virgil il fait ah ouais, comment ça pourquoi, et je dis non mais j't'expliquerai, c'est juste qu'il fait des trucs chelous quoi. Ah ouais dit Virgil, il est comme perplexe, et il dit mais c'est quoi le délire il va me mordre l'oreille ou c'est comment, et on commence à se marrer, mais comme les vieux parlent dans leur coin de manière plus ou moins courtoise, on est couverts. Je me tourne et je mets ma main devant ma bouche, je fixe le sol, mais il y a mes épaules qui remuent un peu. J'essaie de contrôler ma respiration, ça me donne presque le hoquet. Ça passe, je chuchote oh le con tu m'as eu là, Virgil rigole doucement, ça se tasse. C'est important qu'on se contrôle parce que le vieux pourrait croire qu'on se fout de sa gueule étant donné qu'il s'énerve à tout bout de champ et qu'à l'entraînement ça arrive qu'on plaisante un peu là-dessus. Pas souvent, mais ça arrive, alors que là c'est devant du monde, il le prendrait pour lui c'est sûr, non, c'est vraiment un coup à s'en manger une. Avec Virgil on évite de se regarder, on reprend une contenance, il y a comme un silence, et en me tournant de nouveau vers lui je dis hey, en plus c'est chaud pour toi parce qu'il aime pas les Noirs, et là il se met à rire super fort, et moi je pars avec lui, ça interrompt les vieux qui se prennent le chou, et j'ai beau essayer de me retenir, je ne peux pas m'empêcher, contrairement à Virgil qui gère assez bien même s'il sourit comme un con en regardant droit devant lui, je vois sa poitrine qui vibre ça me fait encore plus rire, et c'est là que je croise le regard du vieux. C'est une furie qui se dirige vers moi et qui m'attrape puis tire le bras, lui on le pèse en premier et pis ça dégage.

Le moment où je monte sur la balance est celui qu'ont choisi l'entraîneur de Kerbachi et son boxeur pour faire leur entrée dans le gymnase. Je lève la tête, et le premier sur qui je tombe c'est lui, c'est Kerbachi. On se regarde pendant que les crans se déplacent sur la balance. Au départ il est impassible, et puis, je ne sais pas, peut-être que me voir peu affûté ça lui donne envie de sourire. Un sourire en coin, comme un soulagement, comme un avant-goût de victoire. Un signe ostentatoire de confiance. Il est le premier à décrocher le regard, au moment de saluer des gens qui sont là. Moi, je ne le lâche pas. Il me regarde à nouveau entre chaque personne qu'il salue, et moi je décroche le regard quand j'entends le délégué prononcer soixante-neuf kilos et cent grammes. Monsieur Pierrot me pousse quasiment de la balance, allez, au vestiaire il dit, et tu restes là-bas, et moi je suis soulagé d'être au poids. À un moment j'ai envisagé de me foutre de la fonte dans le cul pour gagner cinq cents grammes. Mais aussi brillante fût-elle, je n'étais pas tout à fait à l'aise avec cette idée.

Dans le vestiaire on est dispersés. Moi je suis au fond, contre le mur. Cyril, Virgil et le petit Victor vont combattre ce soir également. Victor est assis sur le banc, la pointe des pieds au sol, les mains jointes qui plongent entre les genoux, tête basse. Je ne sais pas s'il est complètement flippé ou bien déjà concentré. Rapport à son âge, il va faire un assaut. Un combat dans lequel on ne porte pas les coups. C'est de la touche. À ce jeu-là je ne vois aucun gamin du coin rivaliser avec lui. C'est un escrimeur le p'tit. Comme moi à son âge. Il a fait trois assauts jusqu'ici, tous remportés facilement. Il doit se mettre la pression parce qu'il boxera devant son public. Cyril est affalé. Il ne se fait jamais de souci celui-là. Ce soir il a tout du faire-valoir, face à un jeune espoir de la région, invaincu. Ça n'a pas l'air de le préoccuper plus que ça.

Virgil rigole encore de la blague que je lui ai sortie sur son adversaire, et j'insiste, j'te jure Virgil, quand le mec va te voir monter sa force va décupler, c'est chaud pour toi, et Cyril se joint à nos rires, tandis que Victor se laisse aller à placer un rictus sur sa face contrite. C'est là-dessus que monsieur Pierrot fait irruption dans le vestiaire. Il n'a pas fait un pas vers nous qu'on ne rigole déjà plus. Il nous fait le briefing. Quelques mots sur nos adversaires, sur ce qu'on doit faire. Des choses qu'il nous explique maintenant mais qu'il passera la journée à nous répéter, et qu'il nous dira encore dans le vestiaire pendant l'échauffement, et puis juste avant de monter dans le ring, et même pendant le combat, quitte à se faire réprimander par l'arbitre parce qu'il crie trop fort, et puis entre les rounds, et certainement après le combat, et ce sera toujours les mêmes choses, monte tes mains, bouge, frappe le premier, enchaîne, protège-toi. Boxe. Cyril, tu fais bien attention à pas baisser les mains, en face il y a du punch, mais on a l'avantage de la taille, faut le garder à distance, alors le jab hein Cyril, tu me l'appuies bien ton jab, tu l'empêches de s'approcher l'autre. Virgil aussi faut qu'il soit attentif, c'est un salopard en face on le connaît, roublard et pis tout, alors les mains bien hautes en sortie de corps à corps, tu frappes le premier et tu mets de la cadence, physiquement il pourra pas suivre. Victor, l'autre en face c'est une asperge, il te met une tête, facile, alors lui tu me le travailles en entrée-sortie. Il va lancer les directs alors tu passes en dessous, corps face et hop tu sors, de la vitesse surtout, et puis du buste, toujours en mouvement, sinon il va régler la mire et pis tu pourras jamais t'approcher. Jonas, toi tu vas pas à la bagarre avec lui, tu le boxes à distance et tu te désaxes. Il est rectiligne Kerbachi, tu restes pas en face et tu lui laisses pas le temps de s'organiser. Sois intelligent. Je dis ok. Il annonce ensuite le programme de la journée, toujours le même, on va aller manger ensemble, et puis on se donnera rendez-vous ici pour 17 heures. Et puis, une fois qu'il en a fini avec ses informations, il fait ce truc qu'on ne le voit pas faire souvent, mais qu'on aime bien le voir faire, c'est-à-dire qu'il sourit, et ça lui change la gueule c'est incroyable, son visage rond aux yeux exorbités laisse place à une face pincée et des yeux bridés. Il dit qu'il ne nous emmènerait pas là s'il n'était pas convaincu que nous pouvions gagner, et qu'il a hâte de nous voir à l'œuvre. C'est dans ces moments-là qu'il est heureux le vieux. Ça donne du sens à sa vie d'ascète. Là, après la pesée, c'est le dernier instant où il peut se permettre de faire comme si le combat n'était pas imminent. Dès que l'on sera sortis de ce vestiaire, il ne pensera plus à rien d'autre. Il demande si c'est bon pour nous, on dit oui. On se lève et se dirige vers la sortie, et quand on passe devant lui le vieux a un geste pour chacun d'entre nous. Ça va de la tape sur l'épaule à la feinte de gifle. La feinte de gifle, c'est pour moi.

Le midi on va en ville, dans un resto, toujours le même, un boui-boui avec pas grand monde de compétent dedans. Le propriétaire est un ancien boxeur de monsieur Pierrot. Un mec qui gagnait sa vie en se prenant des K-O. Ça se voit à sa gueule d'ailleurs. Il nous a préparé des nouilles avec du poisson. Pas une grosse quantité, monsieur Pierrot a prévenu. Moi, je n'ai pas tellement d'appétit. Idéalement, je voudrais aller dormir et qu'on me réveille juste avant mon entrée sur le ring. Au lieu de ça, il est midi et demi, et je combats en dernier, genre on garde le meilleur pour la fin. Ça va chercher dans les 22 heures, 22 h 30 ça. Le vieux dit que comme il y aura du monde qui viendra me voir, me faire combattre en dernier c'est un moyen de garder les gens dans la salle, et puis ça optimise les ventes de la buvette, aussi, si les gens restent. Il me demande ce que j'en pense, mais bon, même si je disais que ça ne m'allait pas et que j'avais des arguments, ce n'est pas ça qui le ferait changer d'avis, alors je fais une moue, l'air de dire mouais. C'est l'attente qu'il va falloir gérer, mais ça, c'est déjà le combat, c'est le round moins un. Et puis je dois avouer qu'il y a un côté où ça me fait plaisir, de passer le dernier. Si je ne vaux pas un clou, je suis quand même celui du spectacle.

Déposez-moi au coin de la rue et ça ira, moi après je marche deux minutes à peine, vous en faites pas monsieur Pierrot. Il dit d'accord. Quand il me dépose à l'entrée du quartier il doit encore faire cent mètres pour tourner à gauche et partir vers chez lui. Moi je reste là, je fais coucou avec mon bras levé. La voiture disparaît de mon champ de vision et je peux enfin allumer la clope que je crève d'envie de fumer depuis la fin du repas et le moment où le serveur a proposé un café, que monsieur Pierrot a décliné en notre nom à tous.

Une dizaine de jours avant le combat, j'ai reçu de monsieur Pierrot l'interdiction formelle de pratiquer toute activité sexuelle que ce soit, masturbation incluse. Pas seulement moi, les autres aussi. Il nous le fait à chaque fois en vérité. En boxe on considère que le sexe nuit à la performance. Une sombre histoire de testostérone. On avait eu la discussion une fois avec les gars, entre deux tours au Pablo, une partie pendant laquelle Ixe nous sortait des scores incroyables et ne faisait que de nous ridiculiser. On était divisés sur la question, et puis Lahuiss avait tranché. Là où moi je pensais qu'il allait faire l'apologie de la partouze, il nous avait expliqué que pour lui il valait mieux ne pas avoir de rapports sexuels avant un combat. Il avait dit les gars, le but ultime de l'homme, c'est la reproduction. L'homme en tant qu'espèce hein, t'as compris. C'est l'accomplissement ultime, se reproduire. C'est pour ça que notre corps il a été conçu de manière à nous faire aimer le sexe, tu vois c'que j'veux dire. Bon, bah quand tu fais l'amour, en gros tu accomplis le but ultime de l'espèce, donc tu te sens valorisé à mort, vu qu'il n'y a rien que tu puisses faire qui soit au-dessus de ça. Ça t'enlève ta motivation pour réussir ce truc-là. C'est pas physiologique du tout comme truc, c'est psychologique en fait. Là j'ai dit du coup ça marche pas avec la masturbation cette histoire, et Lahuiss avait répondu non, si on va par là. J'ai dit d'accord. On avait tous plus ou moins acquiescé à cette théorie. Il avait poursuivi en disant qu'à terme on pouvait extrapoler la chose en allant jusqu'à affirmer qu'en soi le désir sexuel était un frein à l'accomplissement, dans le sens où on gaspillait beaucoup d'énergie à essayer de baiser, une énergie que l'on aurait pu consacrer au travail, quel qu'il soit. On avait été un peu plus perplexes pour le coup. Il avait conclu en riant très fort et en affirmant qu'au final c'était la faute des femmes si on ne faisait rien de nos vies, occupés qu'on était à vouloir les séduire, sans même y parvenir. Ixe avait mis fin à son discours pour qu'on ne perde pas le fil de la partie. Le coup suivant j'avais dit Pablo et je m'étais mangé cinquante points. J'ai regretté de n'avoir aucune femme sur qui me dédouaner pour expliquer ma défaite.

Quand je rentre chez moi mon père n'est pas là. Je vais directement dans ma chambre. Je n'ai pas ouvert les volets en sortant le matin, il fait noir et ça sent le fauve, mais je ne touche à rien. J'enlève mes vêtements, je garde mon slip et je me fous sous la couette. Ordinateur sur les cuisses, je me branle. Et puis je dors, en espérant me réveiller juste avant mon entrée sur le ring.

À mon réveil, mon père est là. Dans le salon, il regarde un match de foot à la télé. J'ai encore un peu de temps devant moi. On se fait une bise, je m'installe à côté. En général, avant un combat, je n'aime pas trop qu'on me parle. Il le sait, alors il se tait. L'écran parle pour nous. C'est la mi-temps, les commentateurs passent en revue les statistiques de la première période. Je demande quand même si ça joue bien, il me répond que ça essaie. C'est toujours ça, je me dis. Il mange des viennoiseries pour le goûter. Je ne supporte pas le bruit qu'il fait quand il mâche, ça fait des années que je n'ose pas lui dire que c'est atroce, ce bruit, et elle est où, d'ailleurs, la néces- sité de garder la bouche ouverte quand on mange. Mes mains s'approchent toutes seules de mes oreilles, comme pour les boucher, mais je ne veux pas que ça se voie, que je suis dérangé. Mon père, je fais tout pour lui être agréable, pas encombrant. J'y arrive plutôt bien, même si la plupart du temps ça implique de ne tout simplement rien se dire. Je devrais quitter la pièce. Pourtant je reste. Alors que ma main droite continue de tourner autour de mon oreille, je me rappelle qu'il y a cette chose qui me gêne, derrière le lobe, une petite boule qui grandit depuis quelques jours. Je suis le genre de mec qui peut passer un quart d'heure devant un miroir à s'éclater les boutons, parce que je ne supporte pas d'avoir quoi que ce soit de répugnant sur mon corps, alors ce qui vient se loger là où je ne peux pas intervenir, ça m'agace. De ce côté-là je suis comme mon père, c'est lui qui m'a transmis ça. Je lui fais hey, Pap, et en se retournant il me répond oui mon fils, et je dis tu veux pas me regarder derrière l'oreille là?, j'crois j'ai un truc.

J'ai la tête posée sur le bras du canapé, le corps étendu. Il est parti se laver les mains et se munir d'un mouchoir. En se penchant sur moi il m'agrippe le visage de ses deux mains et disperse ses doigts un peu partout, comme à la recherche d'une bonne assise. Je me sens comme pris dans un étau. En repliant mon oreille pour regarder derrière il lâche une onomatopée, quelque chose pas loin de l'effroi, et si je ne le connaissais pas je me dirais qu'il exagère beaucoup cet homme-là. Il inspecte le nuisible, dispose ses doigts autour à la recherche du bon angle, de la bonne prise. Je lui demande s'il est mûr, il dit que oui, et je lui demande s'il est sûr, parce que parfois il veut quand même y aller alors que ce n'est pas le moment, et dans ces cas-là ça donne des trucs qui s'infectent. Quand il appuie j'entends comme un craquement, et je n'ai même pas besoin de l'écouter s'exclamer pour savoir qu'il a réussi. Pas plus que je n'ai besoin qu'il me colle son doigt devant les yeux, beaucoup trop près d'ailleurs, ce qui me force à reculer la nuque, pour distinguer cet amas de pus qui est venu s'échouer sur son ongle. Il n'est pas peu fier lorsque je dis ah oui, en effet, pour rendre hommage à son travail. Sacré morceau. Il m'appuie de nouveau sur le crâne après s'être essuyé sur le mouchoir, il dit qu'il y en a encore à l'intérieur, et moi je m'exécute, je sais que même si je suis venu pour un seul bouton ce n'est pas ça qui va étancher sa soif. Je reste donc posé là de longues minutes, à écouter ses commentaires, sur ma peau. Il dit que je ne peux pas monter comme ça sur le ring, pas avec des merdes plein la gueule. Je ne suis pas du tout boutonneux comme mec, mais avec mon père il suffit de deux points noirs pour être considéré comme un champ de mines. Je le laisse se faire plaisir, il y en a qui font un peu mal mais c'est supportable, je pourrais presque me rendormir. Il me fait tout un tas de commentaires, sur ce qu'il fait, sur ce qu'il voit, et régulièrement il me ressort cette phrase que j'ai tellement entendue depuis petit, et toujours dans cette situation. Un homme bien ne garde pas une chose mauvaise en lui.

Virgil, Victor et Cyril sont dans le vestiaire. Il n'y a que le petit qui est déjà en tenue. Je trouve ça prématuré d'arriver si tôt. C'est un coup à gamberger, diluer ses forces dans l'attente. Virgil et Cyril ont de l'expérience, ils ont posé leur sac mais c'est tout, ils sont là, assis, ils discutent. Ils parlent de foot, alors je m'incruste dans la conversation. Des gens entrent dans le vestiaire. Puisqu'il y aura huit combats, on répartit les boxeurs en prenant soin de ne pas les mettre dans le même vestiaire que leurs adversaires. Quand c'est possible. J'ai boxé dans des salles si petites que je me préparais à côté de celui contre qui j'allais combattre, et j'entendais les conseils de son entraîneur, c'était étrange, j'avais l'impression qu'il parlait de quelqu'un qui ne pouvait pas être moi quand il évoquait mes qualités, et comment son boxeur devait s'en méfier. Parmi ceux qui se joignent à nous, il y a un petit de treize ou quatorze ans qui a l'air un peu perdu, et un type d'une vingtaine d'années que je situerais chez les poids moyens. Tout le monde se dit bonjour, on se serre la main. Le mec me dit qu'il m'a vu boxer il n'y a pas longtemps, et il me dit où. En fait il m'a vu me prendre une branlée contre Kerbachi. C'est gênant. Je lui réponds que pour ma part je ne l'ai jamais vu nulle part. Ça le fait sourire. Il a une pilosité faciale naissante qui se rapproche plus du cheveu que de la barbe. Sur le coup j'ai envie de lui expliquer qu'il faut raser pour que ça repousse dru, mais je n'ai pas du tout envie de rentrer dans une discussion. Lui et le petit sont du même club, et leur entraîneur c'est le moustachu que j'aime bien. J'ai déjà affronté quelques-uns de ses poulains. Je les ai tous battus, mais ils m'ont tous posé des problèmes. Il parle avec monsieur Pierrot qui vient d'entrer, et je crois comprendre qu'il n'a pas de boxeur dans l'autre vestiaire. Au moins, cette soirée ne soufflera pas sur les braises de leur rivalité. C'est déjà ça.

Sucré arrive. Il est de bonne humeur, ou alors il fait semblant. Pour être déjà passé par là, il sait qu'on n'aime pas trop que les gens prennent un ton solennel, ou bien qu'ils soient trop sérieux quand ils s'adressent à nous qui allons boxer ce soir. C'est nous qui avons peur, mais souvent ce sont les autres qui l'expriment. En le faisant ils nous la rappellent. Sucré nous dit bonjour à tous, les uns après les autres, et il finit par moi, après avoir lâché quelques blagues. On se prend dans les bras. Il me demande si ça va comme si je rentrais de vacances. Je lui réponds que ça va bien, et il me regarde avec un sourire en coin. Dans la foulée c'est Farid qui arrive, et lui il est dans un autre style, il la connaît cette appréhension, alors ce qu'il fait c'est qu'il fanfaronne, il hurle à tout-va, on dirait qu'on est sur le point de partir en soirée tous ensemble. Et puis Ixe entre dans le vestiaire, en fait il est venu avec Sucré mais il s'est arrêté devant le gymnase pour parler avec un mec qu'il connaît. Pareil, il affiche une sacrée bonne humeur, histoire de ne stresser personne. Monsieur Pierrot se met à gueuler gentiment, bon c'est quoi ce défilé là, dépêchez-vous on n'a pas que ça à faire ! Ce temps pendant lequel on est là dans le vestiaire et qui précède le moment où on va vraiment se préparer, c'est un peu l'heure des visites comme à l'hosto. Moi j'aime bien ces moments, ça permet de penser à autre chose. Ixe se fout ouvertement de la gueule du vieux, il se met devant lui et lui dit oh allez monsieur Pierrot, vous savez bien qu'il faut décompresser aussi, et il dit ça en rigolant, en tenant le vieux par les deux épaules. Le vieux dit qu'il faut aussi qu'on se concentre, et Ixe fait du zèle tout à coup, oui Pierrot vous avez raison, hey les gars nous on va y aller, soyez prêts hein, on sera là on vous regarde, on va vous donner de la force, et monsieur Pierrot dit oui voilà c'est ça, allez dégagez maintenant. Une fois qu'ils sont sortis, je m'approche du petit et je dis allez Victor, fais-moi voir un peu de shadow.

Il ne fait pas encore nuit dehors mais on a quand même allumé le vestiaire. Rien n'est beau à la lumière d'un néon. Si ce n'est Victor qui fait du shadow. Il s'échauffe. Techniquement, il est parfait ce gamin. Tous ses gestes sont coordonnés au millième de seconde. Monsieur Pierrot lui lâche quelques voilà, voilà Victor c'est ça, parce que le gosse commence à balancer quelques combinaisons très rapides. J'enfile les pattes d'ours et me place devant lui. Si près du combat il ne s'agit pas de lui faire la leçon, juste réciter des gammes et le mettre en confiance. J'insiste sur les rotatives, les enchaînements corps face, parce qu'il va se coltiner un grand dadais, alors faut faire avec. Le jab en avançant, puis l'enchaînement. Je fais attention à ne pas l'entamer physiquement, alors on fait trois ou quatre combinaisons, et pause, on lui parle. Même si un boxeur n'est jamais mieux guidé que par son instinct, il y a quand même quelques fondamentaux à respecter. Dans son cas, c'est bouger la tête, vu que le mec en face va compter sur son jab, et puis chasser aussi, pour pouvoir remiser efficacement. Enfin, avec le vieux on insiste beaucoup sur les jambes, la tonicité pour entrer dans la garde et en sortir très vite après avoir enchaîné. Sans se faire toucher. Il y aurait un paquet de choses à ajouter, mais il ne faut pas inonder le boxeur de consignes, parce que après il pense davantage qu'il ne boxe. L'idée c'est de trouver l'équilibre entre l'action et la réflexion, sans négliger les réflexes. L'instinct. Bon, il y a aussi des brutes qui comptent uniquement sur leur puissance de frappe, mais c'est un coup à passer tout le combat à chercher le coup dur sans jamais y parvenir, et terminer en ayant pris un déluge dans la face. L'espace d'un instant, je me prends à imaginer que c'est peut-être ce qui va m'arriver ce soir.

La salle est à moitié remplie. Le premier combat va avoir lieu dans moins d'une demi-heure. Je vais me promener un peu parmi les gens. C'est chez nous, alors j'en connais du monde. On me salue, je hoche la tête. On me demande comment je me sens, je dis bien. Je croise m'sieur Jacques, le vieux du foot. Il est avec d'autres vieux dont je connais les visages sans savoir les noms. Il me demande comment je me sens, je dis bien. Il m'encourage, je dis merci. Et puis, en levant la tête vers les gradins, je vois une bande de zoulous, le genre de bande à côté de laquelle on passe en prenant soin de ne pas sortir son portable. Et en fait ce sont mes potes. Ils crient dans ma direction et je leur fais signe de se calmer en leur faisant comprendre que je vais monter, sauf que quand je m'approche de l'escalier je vois Wanda, accompagnée de deux de ses copines, faire son entrée dans le gymnase. Je n'ai pas le temps de me demander ce qu'elle peut bien foutre ici que j'arrive à faire un pas de côté et à me cacher derrière un groupe de gens qui sont là debout, et voilà que je tombe sur Paulo, un vieux de la vieille, ancien professionnel avec qui il m'est arrivé de mettre les gants. Il est content de me voir, il m'encourage, me donne quelques conseils, bouge monte tes mains donne ton gauche, et même que j'en profite pour me caler face à lui de manière à tourner le dos à tout le gymnase. Il me tape les épaules plusieurs fois, et puis on se dit à plus tard.

Dans la tribune je reconnais tout un tas de gens, je salue du menton. On respecte la concentration du boxeur. On s'aventure quand même à me demander comment je me sens, au passage, et je réponds que je me sens bien. Vers le milieu de la tribune je trouve Ixe avec Poto, Habib et Romain, et puis Miskine aussi. Ixe me prend dans ses bras, il ne fait que de rigoler. La bise à Poto plus accolade sur l'omoplate, Habib accolade épaule, Romain tchek, Miskine accolade sur l'omoplate. Bien les gars ou quoi. Habib dit qu'il a mis cinquante balles sur moi, il y a Poto qui rigole, je dis à Poto pourquoi tu rigoles, et on rigole tous. De là où ils sont on voit bien le ring. C'est d'ici qu'ils vont assister au spectacle. Sur le moment je les envie. Dans le public on est dégagé de toute responsabilité, on peut s'enthousiasmer pour un combat sans prendre en compte la détresse, la solitude du perdant. C'est confortable d'être ici. D'être spectateur.

Après être descendu de la tribune, je repère Wanda et ses deux copines qui ont pris des places près du ring, pas loin du coin rouge. Je la fixe pour être certain qu'elle ne regarde pas dans ma direction et que nos regards ne se croisent pas. Elle regarde dans ma direction et nos regards se croisent. Elle sourit gênée. Moi aussi.

Le speaker a pris le micro pour annoncer la première opposition de la soirée. Ce sera un assaut de boxe éducative entre deux jeunes qui feront ce soir leur première apparition sur un ring. Ils ont quatorze ans tous les deux, comme Victor. Au moment où je veux entrer dans le vestiaire je dois m'effacer et laisser passer le petit avec son entraîneur et un homme de coin. Je vois la peur dans ses yeux. J'ai eu la même à son âge, je la connais. Je ne voudrais pas être à sa place. Quand il passe à ma hauteur je l'encourage mais je crois qu'il ne m'entend même pas. Au moment de monter sur le ring, il regarde le sol. Dans le vestiaire, Victor saute à la corde. Monsieur Pierrot veut qu'il soit bien chaud au premier coup de gong. On lui fait alterner corde et shadow, et puis je reprends les pattes d'ours pour lui faire répéter quelques enchaînements dont il aura besoin. On n'a pas d'homme de coin attitré chez nous, alors ça m'arrive de le faire, mais comme je boxe aussi ce soir, c'est Farid qui va s'en charger. De toute façon, ça consiste surtout à tenir une bassine, une gourde et une éponge. Tout ce qui est coupures c'est le vieux qui s'en occupe. Victor fait du shadow sans en faire, il tourne dans la pièce. On est dans le combat, on ne parle plus d'autre chose. Virgil et Cyril se sont mis en tenue et ils commencent doucement à se bander les mains. Ils ne parlent pas à Victor, c'est une consigne de monsieur Pierrot ça. Il ne veut pas qu'à quelques minutes de monter sur le ring les boxeurs reçoivent un flot continuel de conseils, recommandations et autres mises en garde. Il faut que ça reste dans la bouche d'une ou deux personnes, sinon ça devient confus pour le boxeur, ça arrive de tous les côtés, et lui qui parle du jab, l'autre des mains hautes, l'un qui dit d'avancer l'autre d'attendre, c'est le bordel et ça devient n'importe quoi. Avec monsieur Pierrot on lui rappelle donc les fondamentaux. Ce que je fais moi, c'est laisser le vieux parler, puis traduire, ou reformuler. Je ne m'aventure surtout pas à aller dans un sens contraire. Et puis bon, il m'a tout appris le vieux, alors aujourd'hui je parle comme lui, je ne suis pas loin de penser tout pareil. Je ne suis jamais qu'un disciple fidèle à son maître.

J'entends un peu de tumulte alors je vais voir. Le p'tit qui est dans notre vestiaire vient d'être disqualifié pour avoir frappé trop fort. Soit il a du feu dans les gants, soit se chier dessus l'a fait frapper comme un bourrin. Trois avertissements, c'est un de trop déjà. Je me tourne vers Victor, ça va être à toi je dis, et je le vois déglutir. Monsieur Pierrot lui masse les épaules. Là on passe en mode motivation, et tout le monde a voix au chapitre. On le motive, on lui dit allez Victor, montre ce que tu sais faire, et moi j'ai envie de lui dire allez Victor tu vas lui niquer sa mère, des trucs comme ça, mais déjà c'est un assaut alors ce n'est pas comme s'il pouvait mettre K-O le type en face, et en plus monsieur Pierrot il n'aime pas trop quand on parle comme ça.

Victor est coin rouge. Le speaker annonce les palmarès vierges de défaites des deux boxeurs, et nous la fait façon le futur de la boxe s'écrit devant nous, et il en rajoute un peu c'est sûr, mais bon, faut bien vendre la tambouille. On m'avait dit que son adversaire était plus grand, mais je ne m'attendais pas à ça. Il fait carrément une tête de plus. Au moment du face-à-face au centre du ring, Victor doit lever le menton pour regarder son adversaire dans les yeux. Ça ne va pas être facile. Il sait ce qu'il a à faire, mais c'est justement ce qu'il y a de plus compliqué à résoudre, la différence de taille. La chance qu'il a, et je lui ai dit dans le vestiaire, c'est que comme c'est un assaut et qu'on n'a pas le droit d'appuyer les coups, le jab de son adversaire ne l'empêchera pas d'avancer. Par contre faut pas les prendre, parce qu'à chaque fois c'est un point dans la musette.

Il lui a fait un festival au mec. Ça m'a rappelé moi quand je fais du shadow contre mon adversaire imaginaire. Après une première minute pendant laquelle le grand a cherché à prendre le centre du ring en allongeant son jab, Victor a vite résolu l'équation. Feintes, entrées-sorties à la vitesse de l'éclair, vitesse de bras, combinaisons, tout y passe. Et le pire, c'est qu'il est plutôt bon l'autre en face. Victor attaque avec un jab au corps pour se rapprocher, puis enchaîner à la face avec de courts crochets. Quand il sort, l'autre balance des coups dans le vide, incapable de suivre la cadence. J'ai les mains placées en cornet autour de ma bouche et je hurle pour encourager Victor, lui donner des conseils dont il n'a même pas besoin. Applaudissements à la fin du premier round. Il semblerait qu'il y ait des connaisseurs. Il faut dire que la supériorité du petit ne fait aucun doute. Elle est éclatante, même le premier néophyte venu saurait la reconnaître. Le deuxième round est une réplique du premier. Victor domine outrageusement mais son attitude ne trahit aucun relâchement. Il est concentré. Il ne prend pas la confiance. S'il domine tellement c'est parce qu'il est à fond. Il donne tout. À sa place j'y aurais déjà vu l'opportunité de lever le pied. De m'amuser un peu. Lui reste sérieux et appliqué. Ça plaît au vieux ça. Par moments le grand parvient à utiliser sa taille pour gêner Victor, qui en profite pour montrer qu'en défense aussi il est doué. Le round s'achève sur une droite qui fait lever de leurs sièges les spectateurs les plus avisés, car même si les coups ne sont pas appuyés, la justesse technique, la vitesse et la précision de ses frappes sont chirurgicales, et ça le rend beau. J'y prends plaisir moi aussi, même si je ne peux pas m'empêcher de penser à l'autre garçon qui prend une véritable leçon et qui doit se poser un paquet de questions, genre qu'est-ce que je fous là, et pourquoi j'ai voulu faire de la boxe, et finalement c'était bien le basket. Elle est ingrate la boxe. Elle prend beaucoup, elle donne peu. Une maigre récompense coûte de nombreux sacrifices. Elle consacre ceux qui sont capables de la plus grande résilience. Ceux pour qui la satisfaction ne peut aller qu'avec la souffrance. Pour la surmonter. La surpasser. La sublimer. Il faut être fou ou, comme moi, se retrouver embarqué là-dedans presque malgré soi. Fou, ou doué.

Dans le troisième et dernier round, il n'y a plus qu'à l'encourager. Il a, selon toute vraisemblance, assez de points d'avance pour ne pas avoir à prendre de risques dans ce round. Jouer la sécurité. Ne pas prendre de risques inutiles. Je ferais ça moi. Mais ce gamin a quelque chose de plus. Il connaît le sens du mot panache. Le grand tente le tout pour le tout et se rue à l'attaque. Victor le contrôle avec ses jambes, en se déplaçant intelligemment. Petit péché d'orgueil, Victor se met à avoir les mains basses et à ne plus faire qu'esquiver les attaques, sans remiser. Ça tourne à la démonstration, mais moi je n'aime pas ça, ça me rappelle l'attitude que j'ai parfois, et je vois poindre ma mauvaise influence. Éviter d'humilier son adversaire ce n'est pas lui rendre service. Le respecter c'est le boxer, jusqu'au bout. Ce grandet pourrait faire cent cinquante rounds contre Victor qu'il ne le toucherait jamais. En tout cas pas de plein fouet. Victor se concentre de nouveau, ramené au combat par le vieux qui s'égosille en bord de ring, et termine sur une ultime combinaison qui laisse son adversaire sans réaction. La foule applaudit les boxeurs, il y a des bravos qui descendent des tribunes. Les deux gamins, à qui on a enlevé les casques, sont réunis au centre du ring, ils se serrent la main puis tombent dans les bras l'un de l'autre. Victor fait un beau vainqueur, avec sa tête contre la poitrine de son adversaire. L'arbitre est au milieu et tient leurs poignets. Le speaker annonce une victoire à l'unanimité des trois juges en faveur de Victor, et l'arbitre lève son bras. Dans les tribunes, ça tape des pieds sur les gradins, et ça produit un sacré boucan. Moi, j'applaudis, fier. Et puis je pense au vieux, qui doit peut-être se dire que Victor représente une chance. Une chance de faire avec lui ce qu'il n'a pas pu faire avec moi. Et même si je suis content pour lui, je ressens comme un pincement, en moi.

Le boxeur à la moustache hésitante a été appelé. J'ai enfilé la tenue du club, un short blanc trop long et un marcel bleu brillant. J'ai mis les chaussures de boxe que je rechigne toujours à porter à l'entraînement parce que je n'aime pas le style que ça me fait. J'enroule mes bandes. Je n'ai pas fini de les mettre que le boxeur au duvet revient dans le vestiaire, tête basse, avec son entraîneur qui lui gueule dessus. Il s'assied, regarde le sol. T'avais le combat en main putain, hurle son entraîneur. T'avais largement gagné, y avait juste à laisser passer la dernière minute, mais toi non, fallait que tu fasses le beau, tu t'y es cru, ah ça c'est sûr qu'avec les mains basses on est bien moins protégé hein! Il n'est pas content l'entraîneur. Son boxeur a pris un K-O alors que la victoire lui tendait les bras. Celui-ci n'ose pas relever la tête. Il a un hématome sur la joue gauche, c'est sa seule marque. À écouter son entraîneur, on croirait qu'il n'a pris qu'un seul coup, celui qui l'a couché pour le compte. C'était donc une droite. La faute à la main gauche qui revient à l'épaule ça encore. C'est bien la preuve qu'il suffit d'une fois. Une fois pour que la lumière s'éteigne. Une fois pour que tout bascule. La voix de l'entraîneur s'adoucit. La rage passe. On pense surtout au boxeur, mais pour un entraîneur ce n'est pas facile une défaite. On fait tous plus ou moins comme si on n'écoutait pas, alors que c'est juste impossible, non seulement la pièce n'est pas bien grande mais en plus ça résonne. Le boxeur n'a toujours pas levé la tête. D'où je suis, juste à côté, je vois une larme couler de l'œil gauche sur l'hématome. Je suis tenté de lui dire quelque chose, mais je ne sais pas quoi, alors je ne dis rien. Et je termine de me bander les mains.

Je profite que monsieur Pierrot monte sur le ring avec Cyril et Farid pour sortir du vestiaire et faire mon shadow à l'entrée. Plus il se vide plus c'est glauque un vestiaire, alors je préfère être ici. C'est le moment qu'a choisi Sucré pour me rendre une dernière visite, dit-il. Il me demande comment je me sens. J'en ai marre de répondre à cette question, mais comme c'est lui je ne laisse rien transparaître. Il reste avec moi pour regarder le combat de Cyril, du coup mon shadow ne ressemble pas à grand-chose, je lance négligemment mes bras dans le vide, alors pour compenser je sautille sur place, et ça stresse Sucré qui n'arrive pas à me regarder quand il parle. Le speaker annonce les palmarès, l'adversaire de Cyril se présente avec douze victoires en autant de combats, dont huit remportés avant la limite, ce qui est un ratio assez impressionnant pour un amateur. Cyril, lui, c'est dix combats pour quatre victoires dont deux par K-O, cinq défaites et un match nul. Sur le papier on est tenté de dire que c'est chaud pour sa gueule. Avec un peu de chance il peut très bien lui coller un lucky punch, on ne sait jamais. Allez Cyril.

En boxe, quand on est spectateur, il ne vaut mieux pas cligner des yeux, et encore moins tourner la tête. C'est pour ça que je n'ai pas vu. Il me le demande Sucré, putain Jonas t'as vu cette droite ?, et non, je ne l'ai pas vue, je pensais que je pouvais bien prendre quelques secondes pour regarder Wanda, la voir porter ses mains à son visage, comme épouvantée. La trouver belle et me demander ce qu'elle fout là. Dès le début ça a mal tourné pour Cyril, mais solide comme il est le gaillard je pensais qu'il allait quand même voir le deuxième round. Il avait plutôt bien démarré, appliqué et consciencieux, le bras avant en piston, appuyé, en mouvement. C'est plutôt la faute de l'autre si ça finit comme ça. En deux esquives il a cassé la distance, est rentré dans la garde, et bam, le crochet au menton. Électrocuté le Cyril, il est tombé comme inanimé. Le vieux et Farid se sont rués entre les cordes pour lui porter assistance. Tout ce que ça m'a fait à moi, c'est me rendre compte que mon tour viendrait plus vite.

Le vieux a fait du ménage dans le vestiaire. Je suis tout seul, Virgil est parti combattre. Shadow. Je me déplace sur la pointe des pieds, j'envoie les coups. Je me sens lourd. Être sur les pointes ça me tire dans les mollets. Les épaules ne roulent pas, la hanche ne sort pas. Les pieds vissés au sol, le poids sur l'arrière. Et le souffle court.

Les bandes trop serrées, mains engourdies. Les couilles écrasées sous la coquille. Le jab ne part pas. Il n'a pas ce fouetté habituel. Cette détermination à aller toucher sa cible. Je soupire. Et je m'assois sur le banc.

J'entends le speaker annoncer la victoire à l'unanimité de Virgil, ce qui lui permet d'obtenir sa quinzième victoire en autant de combats. Je voudrais me réjouir mais je n'y arrive pas. Mon cœur se met à battre très fort, vite je ne sais pas, mais fort, ça c'est sûr. C'est monsieur Pierrot qui arrive le premier dans le vestiaire. Il me trouve assis sur le banc, alors qu'il aurait certainement préféré me voir en train de sautiller et réciter des gammes. Je me lève quand il me le demande. En touchant mon front il constate que c'est mouillé, alors il se dit que je me suis bien échauffé, parce que lui il croit que c'est pour ça que je transpire. Cyril sort seulement de la douche. Farid l'emmènera à l'hôpital après mon combat, il a la tête qui tourne. Il faudrait que j'en finisse vite. C'est ça. Qu'on en finisse. Vite.

Le délégué est venu nous appeler, on y va. Je sors du vestiaire escorté de monsieur Pierrot et de Farid. J'ai à peine posé le pied près des barrières qui mènent au ring que j'entends mes potes dans les tribunes hurler comme des putois. Ça devrait me faire sourire mais je reste impassible. Au milieu du bordel qui accompagne ma sortie du vestiaire je distingue la voix de Ixe. Au lieu de se contenter d'un simple allez Jonas il préfère éructer des cris de bête, bientôt imité par les autres, et on dirait une horde de barbares qui partent à l'attaque. Ils cherchent à me transmettre cette rage, cette envie de violence, ce désir de détruire, et moi je lève les yeux vers eux, sourire en coin, parce qu'ils me font plus rire qu'autre chose. Je pourrais faire ça pour eux. Ça aurait du sens. Leur montrer qu'on peut se battre. Lutter pour devenir meilleur. Qu'on n'est pas prédestinés. Que le travail peut mener à la récompense. Je pourrais avoir ce rôle. Sauf que moi je voudrais être à leur place. Moi aussi je voudrais être là-haut, à regarder quelqu'un le faire pour moi. Assis près du ring, pas loin de mon coin, je vois mon père. Il avait dit qu'il viendrait. Il est là, et on se voit, il sourit et lève le poing. Il dit allez fils, j'entends pas mais je reconnais sur ses lèvres. Je lui adresse un signe avec ma main gantée. Lui ne semble pas attendre grand-chose de ma part. Tout ce qu'il doit espérer c'est que je veuille bien être ici. Je lui ai déjà montré que je pouvais gagner des combats, que je pouvais être assez courageux pour monter sur un ring. Je ne vois pas bien ce que je pourrais faire de plus. La seule chose qui pourrait le satisfaire c'est que je change d'avis sur la question. Je dois détourner le regard pour emprunter le marchepied, monter vers les cordes, où se tient déjà monsieur Pierrot, qui relève la plus haute pour que je passe en dessous. Je regarde encore mon père. Je me demande s'il est fier de moi. Je me demande si ça lui suffit de me voir là, ou si comme tous les autres il pense que seule la victoire donne un sens à tout ça. Je crois bien que c'est lui qui m'a appris que le seul chemin vers le bonheur c'était la résignation, pas honteuse, mais clairvoyante. C'est pour ça qu'il est certainement le seul ici à savoir que j'entre dans ce ring à reculons. Je lui souris une dernière fois, juste avant que le vieux me fourre le protège-dents dans la bouche. Il me prend en photo.

Je gagne le centre du ring et salue la salle comme le font les acteurs de théâtre, puis lève le poing en l'air. L'audience apprécie. Kerbachi est déjà sur le ring, ganté, casqué. Le speaker le présente, lui et ses dix-neuf combats, treize victoires cinq défaites et un match nul. Une partie de la salle le siffle, ce n'est pas contre lui, simplement il ne fallait pas boxer un gars d'ici. Quand le speaker annonce mon nom, applaudissements et encouragements. Monsieur Pierrot m'enfile le casque et pour ce faire je lui tourne le dos, c'est plus pratique pour lui comme il est tout petit, parce que ça s'attache derrière la tête. Je me retrouve face aux personnes assises derrière mon coin, et j'en regarde une seule, Wanda, qui me regarde aussi. Ça dure trente secondes, le vieux galère un peu. On ne dit rien, on ne se donne pas un sourire ni même un petit rictus, rien, juste on se regarde, et c'est à se demander si on se voit. Une partie de moi est tentée d'imaginer qu'elle est venue pour me déstabiliser. Puis me voir perdre. Pour me faire payer mon attitude. Celle de ce type qui ne mesure pas sa chance, qui ne grandit pas, pour qui argumenter c'est se disputer, et qui s'en sort toujours avec des phrases trouvées par terre. On est les mêmes, au final. Pour ça qu'on est si curieux l'un de l'autre. Ça l'a menée jusqu'ici. Elle ne veut pas me voir perdre. Au contraire, elle voudrait me voir briller. Pour une fois.

Il y a des allez, allez! qui tombent dans tous les sens quand le speaker annonce mon palmarès, mes quinze combats pour treize victoires dont quatre par K-O, une défaite, un match nul. L'arbitre nous appelle au centre du ring. On se retrouve face à face, et là Kerbachi ne sourit ni ne rigole plus. Ses yeux sont écarquillés. Ils suintent l'agressivité. Il cherche à me faire peur. Mais moi je ne rentre pas dans ce genre de jeu. Je le fixe, mais avec une espèce d'air de m'en battre les couilles. Calme. Serein. Déterminé. Dédaigneux presque. Bref, tout le contraire de ce que je suis réellement en cet instant. L'arbitre insiste sur les coups bas, il nous montre à chacun sur la ceinture de l'autre à partir de quelle limite il considérera les coups comme non réglementaires. Il parle des accrochages aussi, il annonce qu'il n'hésitera pas à donner des points de pénalité. Puis il nous demande de boxer dans le respect des règles de l'art, de respecter l'adversaire tout ça tout ça et moi j'ai envie de lui dire mais merde tu vas la fermer ta gueule et nous laisser boxer oui. Au moment de se toucher les gants je sens comme Kerbachi a les poings serrés et les bras contractés, tandis que moi j'ai les mains ouvertes et relâchées, si bien que le contact de nos gants me fait faire un pas de recul. On revient dans nos coins, monsieur Pierrot me prend la tête à deux mains après m'avoir passé de la vaseline sur le visage, pour faire glisser les coups, et il me dit qu'aujourd'hui on s'en fout de gagner ou de perdre, aujourd'hui on veut prendre du plaisir, c'est juste ça Jonas, aujourd'hui faut que tu prennes plaisir à être dans ce ring et à faire ce que tu sais faire. Je ne dis rien.

Gong. C'est parti. Kerbachi monte les mains et donne son jab. Ça ne touche pas. Je sautille, souple sur les jambes, je tourne et tends mon bras gauche pour garder la distance, sans frapper. On s'observe, on donne des coups timides qui ne touchent pas. Ça part en round d'observation, mais je me dis qu'il y a moyen d'en tirer parti, alors d'un coup j'accélère et me rue sur lui, caché derrière mon jab, et j'enchaîne trois crochets au visage mais mon attaque est brouillonne, elle part de trop loin. Kerbachi monte les mains pour bloquer les coups et arrive à me contrer avec un uppercut en sortie de garde qui me surprend. J'entends monsieur Pierrot s'énerver mais je ne comprends pas bien ce qu'il dit, et puis j'essaie de ne pas écouter. Je donne le jab à nouveau, mais pour mieux me couvrir avant de venir me coller à lui et le pousser contre les cordes en me servant du poids de mon corps, et je lance des crochets désordonnés qui ne trouvent pas leur cible, ça arrive dans les coudes, ça glisse sur les épaules, ça passe au-dessus du crâne. Il remise un gauche droite très rapide que j'encaisse avant de reculer et monter les mains. Le vieux pousse des cris, je fais tout le contraire de ce qu'il m'a demandé. Kerbachi commence à tourner autour du ring pendant que j'en occupe le centre, et je le suis alors que je devrais le cadrer, lui couper la route, mais même si j'en connais le principe je n'en ai pas vraiment la capacité, d'habitude c'est moi le mec qui fuit sur le ring et qu'on doit attraper. Je lance des crochets larges avec ma droite qui n'arrivent pas, et je me fais régulièrement contrer. Alors que j'essaie de le cadrer, parce que je vois bien que sinon je vais lui courir derrière pendant tout le combat, il me feinte avec son corps et je reste bloqué sur mes appuis, à peine une demi-seconde, mais c'est suffisant pour qu'il me rentre une droite en plein milieu du visage. Elle a fait mal celle-ci. J'ai envie de la rendre le plus vite possible alors ça me fait boxer n'importe comment, je pars à l'abordage, et même si j'arrive à ne pas encaisser de contres, je ne marque pas de points car mes attaques manquent de précision. On est au milieu du round et je crois bien n'avoir marqué aucun point. On se retrouve enlacés suite à une charge de ma part, et en sortie de corps à corps il me rentre trois jabs de suite qui passent entre mes gants, et je ne réagis qu'en avançant, en m'empalant sur les coups, comme si je voulais qu'il m'en donne d'autres. À force d'avancer je le bloque dans le coin, et je le touche avec ma droite. Sa tête part en arrière et je rajoute deux crochets au corps suivis d'un uppercut au menton, je cogne dur, contracté de partout, et j'accompagne mes frappes d'onomatopées pleines de rage. Il s'accroche, m'enlace, l'arbitre nous sépare et je repars à l'attaque, je tape dans le tas comme si j'envoyais une rafale de mitraillette dans une foule, ça enthousiasme le public, celui qui n'est pas venu voir de la boxe mais de la castagne, et les voilà servis ceux-là, je frappe sans m'arrêter, mais comme je ne réfléchis pas à ce que je fais Kerbachi peut limiter la casse en restant blotti derrière ses mains, en bougeant la tête et le buste, et alors que je me sens proche d'étouffer car en apnée, je fais un pas de recul puis monte les mains, histoire de ne pas encaisser la riposte. Le round s'arrête sur cet échange, l'arbitre s'interpose et nous demande de rejoindre nos coins. Je suis complètement essoufflé, j'ai du mal à reprendre ma respiration, ça me tire sur les poumons, tellement que j'ai l'impression de saigner de l'œsophage. Quand j'arrive dans le coin, ce n'est pas monsieur Pierrot mais Farid qui m'engueule. Mais qu'est-ce que tu fous là Jonas, c'était quoi ça, et il me fait boire à la gourde, puis il reprend, c'est n'importe quoi ce que tu viens de montrer là, c'est quoi ta stratégie!? Je ne dis rien. Monsieur Pierrot arrive de derrière le coin et se place devant moi. Il se met à genoux parce que penché ça lui nique les lombaires alors il évite. Il parle calmement. Il me dit que comme ça je n'arriverai à rien. Il dit qu'il sait que je ne suis pas en pleine possession de mes moyens. Il sait que je ne suis pas au niveau. Il comprend que j'aie peur. Il dit Jonas, si c'est ton dernier combat, essaie au moins de descendre du ring en étant fier de toi. Et quand il dit ça, je comprends que ça vaut aussi pour lui. Je tends la bouche vers Farid pour qu'il me donne à boire à la gourde, je regarde le vieux et je dis d'accord. En face, l'entraîneur de Kerbachi ne fait que de mimer un jab qui partirait souvent, l'air de dire que comme je rentre la tête la première ce sera le meilleur moyen de m'arrêter. Monsieur Pierrot ne parle plus, et il a demandé à Farid de se taire. Au moment de repartir au combat, le vieux me met une gifle, il me dit boxe Jonas, boxe, c'est tout. Je hoche la tête.

Quand la cloche sonne je suis déjà debout, et monsieur Pierrot me pousse dans le dos. Kerbachi reprend la même attitude, mains hautes, et il lance le jab. Je bouge la tête et tente de me désaxer tandis qu'il s'approche sur un pas pour enchaîner. Je recule, et alors qu'il tente de me poursuivre j'allonge un gauche droite qui touche au front, et je me remets à tourner. Il commence à me suivre et cherche à me cadrer, je donne le jab et je touche trois fois, j'esquive sa riposte grâce à un pas de côté sur la gauche et, comme il tombe sur son coup qu'il a donné dans le vide, j'arrive à le coincer dans les cordes. Direct du gauche crochet droit uppercut gauche, ça rentre, il balance un crochet large mais j'ai juste à faire un retrait du buste et enchaîner à nouveau, je vise le foie et remonte en crochets, puis je sors. Le public s'enflamme, j'entends monsieur Pierrot qui dit voilà Jonas c'est ça!, et puis Kerbachi reprend sa marche en avant, même s'il est décontenancé parce que j'ai complètement changé d'attitude. Je commence à avoir le souffle court mais je tente d'ignorer ça, je dois espacer mes offensives pour ne pas griller mes munitions, rester bien concentré en défense, et efficace en attaque. Il avance mais je le stoppe systématiquement avec le jab, je m'applique à bien faire revenir mon poing au visage, rester protégé, ne pas lui donner l'occasion de marquer des points grâce à mes erreurs. Je tourne autour de lui et je touche avec mon bras avant, jab jab jab, rapide, il n'a pas le temps de réagir. Par moments je me place devant lui et me penche en avant comme si je cherchais des failles, il essaie de me toucher mais j'esquive, puis remise, et là, il ne voit pas le jour Kerbachi. Je feinte le jab et change la direction de mon bras, je transforme mon jab en crochet gauche, et il se fait avoir à chaque fois, ça part trop vite pour lui, il ne comprend rien. Je double le jab en avançant et ça l'emmène dans les cordes, j'enchaîne avec une combinaison et je vois que mes bras ne reviennent en garde que si j'y pense très fort. J'ai la bouche ouverte pour chercher de l'air. Ma poitrine me donne l'impression qu'elle va exploser, je donne de plus en plus de la voix sur mes frappes, ce qui fait dire à son entraîneur il est fatigué! Il en peut plus!, et Kerbachi écoute son entraîneur, alors il se met à avancer sur moi en donnant des coups sous tous les angles, je bouge la tête pour en prendre le moins possible, et j'arrive même à placer un crochet gauche en reculant que j'aurais trouvé magnifique si j'avais été dans le public. La distance ! La distance ! crie monsieur Pierrot, et il a raison, je pourrais gagner avec mon jab si je voulais, alors je ne dois pas le laisser s'approcher. Jab, jab, jab, je ne m'arrête plus, mais je prends une droite qui passe par-dessus mon bras alors que j'attaque, et comme j'ai la bouche ouverte à force de manquer d'air elle me fait mal à la mâchoire. Le round s'achève là-dessus. A priori, j'ai largement refait mon retard du premier round, je suis même devant je pense, et c'est ce que dit le vieux Pierrot, tout en rappelant que j'aurais dû avoir encore plus d'avance si je n'avais pas fait n'importe quoi dans le premier round, car le troisième arrive, et c'est là que le combat va se décider. Il me demande de prendre de grandes inspirations, je suis à bout de souffle. J'ai du mal à maîtriser ma respiration, je transpire énormément, je suis en surchauffe. Farid dit que je n'ai qu'à faire la même chose et le combat est gagné. Le vieux me demande de mesurer mes attaques, d'être économe sans perdre ma concentration. Il ajoute qu'il m'a vu faire de belles choses dans ce round, mais que j'ai intérêt à lever les mains, et moi je lui dis de faire gaffe avec la vaseline, j'en ai qui me rentre dans l'œil. Quand je retourne au combat pour le troisième et dernier round, l'arbitre me renvoie dans le coin pour qu'on m'enlève de la vaseline, parce que là c'est trop, et je me dis qu'il est malin le vieux, il me permet de bénéficier de vingt secondes de repos supplémentaire, parce qu'il prend son temps en plus, pour me l'enlever.

C'est reparti. J'entends des cris dans tous les sens, je reconnais mon prénom. Avec ces gros spots qui éclairent le ring, la salle est rendue très sombre, on ne distingue personne. Ces voix ont l'air de ne venir de nulle part, comme si elles étaient dans ma tête. Je fais un bon début de round. La minute de repos m'a permis de récupérer un peu d'influx, sauf que je fais la connerie de le dépenser d'entrée, mais pour moi c'est une manière de lui montrer ma supériorité, je veux le décourager, alors je donne le jab, je bouge, je touche trois fois puis je ressors, et je le fais plusieurs fois de suite, la foule s'emballe, ma victoire se dessine. Mon jab rentre toujours aussi bien, j'aimerais n'avoir qu'à le lancer pendant ces trois minutes et attendre sagement la fin du combat caché derrière lui, mais Kerbachi n'a pas dans l'idée de se laisser faire, il avance sur moi de manière un peu désordonnée et m'oblige à m'employer, que ce soit par le fait de donner des coups ou juste me déplacer. Je vois que mes bras ne reviennent plus au visage, même si j'y pense, simplement ils ne veulent plus, ils sont lourds, j'ai les deux mains sous le menton et le visage exposé. Ma bouche aimerait pouvoir s'ouvrir plus grande encore, ma mâchoire me donne l'impression de toucher mon plexus. Ma respiration est incontrôlable, et plus il m'attaque plus ma poitrine gonfle jusqu'à me faire mal. Je le tiens tout de même à distance, j'arrive à compenser techniquement, mais c'est de plus en plus difficile. Je pars dans les cordes, j'essaie d'en sortir mais mes jambes ne m'emmènent plus très loin du point de départ, du coup, alors même que je croyais échapper à une attaque en me déplaçant, je reste à portée et encaisse un doublé. Ça hurle de partout, ça

devient impossible de dissocier les voix. Seul un brouhaha me parvient, comme lointain, on dirait une bande
enregistrée sur une cassette à l'ancienne. La salle est de
plus en plus sombre, plus tamisée encore que l'acoustique, la lumière sur nous est de plus en plus vive. On
dirait que Kerbachi a gagné quelques centimètres depuis
le début du combat. Il ne m'a jamais paru aussi grand.
Le ring a rapetissé, j'ai beau me déplacer je suis toujours
dans les cordes ou dans un coin, je n'arrive plus à me
créer la place pour boxer convenablement. Ça tourne
au pugilat, je ne peux pas le laisser me travailler comme
ça, mais je manque de précision, et lui aussi d'ailleurs,
on a passé la première minute je pense, il doit en rester
deux. À toi, à moi, on se rend la monnaie de nos pièces,
on partage. Monsieur Pierrot s'agite, j'ai le temps de
le voir lorsque l'arbitre nous sépare suite à un énième
accrochage. Par manque de lucidité j'oublie de monter
les mains en sortie de corps à corps et j'encaisse un crochet gauche au menton, et merde, celui-ci me touche
vraiment. Je ne sens plus le sol, mes jambes flageolent
et ne me soutiennent plus vraiment, j'essaie de faire en
sorte que ça ne se voie pas, mais tandis que je recule il se
jette sur moi, et je reconnais cette attitude, je l'ai eue un
paquet de fois, c'est celle du boxeur qui a touché, et qui
n'a plus qu'à conclure. Les cordes arrêtent ma retraite, je
monte les mains d'abord et puis je m'accroche. L'arbitre
doit intervenir et je reprends un peu conscience, alors
je donne mon jab pour l'empêcher d'approcher. Mais je
vois sa droite partir. Je sais qu'elle va arriver, je sais que
je n'aurai pas le temps de lever les mains, je vois l'épaule
tourner, le poing passer au-dessus d'elle en se vissant,

lancé à toute allure comme une torpille, le coude qui reste bien dans la garde, un geste parfaitement réalisé. Et ce gant, ce gant bleu, je le vois remplir mon champ de vision, et grandir, à mesure qu'il s'approche de mon visage, jusqu'à ne plus voir que lui, jusqu'à ne plus rien voir autour, jusqu'à ne plus voir du tout.

Estocade

Les grenouilles ont arrêté de chanter. On est entre la fin d'après-midi et le crépuscule, quand le soleil amorce sa descente, teintant les nuages de rose et d'orange, juste au-dessus de ma maison. Avec Sucré on s'est donné rendez-vous à la table de ping-pong. Clope, Coca. Posés. Je suis assis sur le bord, mes pieds ne touchent pas le sol. Il a fait lourd aujourd'hui, je suis en marcel. Sucré est debout devant moi, short claquettes chemise ouverte. Il s'est servi un apéro chez ses parents, un ti' punch. Il m'a proposé j'ai dit non, j'ai du Coca. Sucré il a des menthols parfois, alors je lui en taxe une.

La forêt est calme. Pas de vent. Pas de canards. Pas d'oiseaux. Juste nous deux. La table de ping-pong est située près de la maison où a grandi Sucré, en lisière du terrain boisé, et à vingt mètres à peine de la mare. Ça sent la vase, rapport à la chaleur. Contre un arbre près de nous, à cinq ou six mètres, une poubelle. Quand j'ai fini ma clope, je la place entre le bout de mon index et mon pouce, et je regarde Sucré. Je dis téma comment j'suis un boss. D'une chiquenaude je propulse le mégot vers la poubelle, et il part très mal le mégot, il dévie sur la droite et atterri super loin de sa cible. T'es naze, dit Sucré. On rigole.

J'allume une autre clope, une à moi cette fois, et je bois une gorgée de Coca. La mère de Lahuiss passe en voiture, on lève le bras pour dire bonjour. Ça fait un moment qu'on ne l'a pas vu Lahuiss. On ne le voit plus trop depuis qu'il sort avec Wanda.

Sucré me demande si je vais boxer bientôt, et je dis je sais pas, je prendrais bien des vacances. Il dit qu'il était bien mon dernier combat, contre Tavares, et je dis ouais, pour un retour c'était pas mal. Faut dire que le mec en face avait quinze défaites au compteur. Il me demande ce que je compte faire ensuite, et je souffle, pour mieux signifier que je n'ai rien à répondre. Et le vieux il en dit quoi. Le vieux il y croit toujours. Et s'il y croit assez dur, avec un peu de chance il arrivera à me traîner dans son sillage. Je dis au fait, et je lui tends un petit pochon de beuh que j'ai sorti de ma poche. Ixe m'a dit de te donner ça, c'est tout ce qui reste, et il dit ah ouais cool, ça va me durer un mois ça, et je fais t'es sérieux là, moi ça me dure pas trois jours un pochton comme celui-là. Et on rigole.

Il me demande ce que je fais ce soir. Je dis qu'on fait un barbeuc chez Romain, du moins j'ai cru comprendre, et il dit vas-y j'viens, je dis d'accord. Il dit gros, j'ai un collègue il m'a montré un jeu de cartes, tu veux que j't'apprenne ? Je dis oui, et il se dirige vers la maison de ses parents pour aller chercher des cartes. Je le regarde marcher, il fait grand dans ce décor. De loin je lui dis grouille ton cul, il répond nique ta race. Et il passe le portail.

J'ai à peine le temps d'observer le ciel que Ixe arrive en voiture avec Miskine, Untel et Poto. Il n'y avait pas assez de charges contre Untel pour le garder longtemps. À force de vouloir le choper ils ont misé sur la mauvaise affaire, et le voilà dehors. Ce connard fanfaronne encore plus qu'avant depuis cet épisode. Ils se garent sur le petit parking plus loin, avec la mare en contrebas. Sucré est déjà revenu à la table quand les autres descendent la petite pente et arrivent sur nous en faisant semblant d'être un gang qui va nous dépouiller. Miskine et Poto ils cassent la démarche, ça me fait rigoler. Untel me montre du doigt en disant hé t'es qui toi pourquoi tu rigoles comme ça, et je lui réponds wesh tu t'es cru chez toi ou quoi, pendant que Ixe commence à faire le tour, mais je le vois du coin de l'œil cet enfoiré. Untel continue à faire genre il m'embrouille et au final Ixe me saute dessus. Il m'attrape, initie une prise et me dit hey Jonas tu sens que je te pète le bras si je continue là, et je dis oui, alors il me saute au cou pour changer. Ça dure quelques secondes et puis il me lâche. Mains jointes au pouce, la bise, main sur l'épaule, petite tape. Bien ou quoi. Rien t'as vu on est là. Tiens goûte celui-là me dit Untel en me tendant son joint. C'est d'la frappe il dit. Je dis vas-y.

Il n'y a jamais eu autant de pelouse. Autrefois on arpentait tellement ce terrain de jeu dans tous les sens qu'elle n'a jamais eu le temps de pousser. Ça fait longtemps que Maldini n'a pas intercepté un ballon. Au pied des arbres, il y a des bâtons avec lesquels on pourrait faire de bons arcs. Je vois une pellicule de poussière un peu sablonneuse qui recouvre le terrain de basket. Les paniers n'ont plus de filets. La table de ping-pong, sur laquelle je suis assis, n'a plus de filet. Les roseaux, dans la mare, n'ont plus de fleurs. Récemment, ils ont remplacé tous les lampadaires.

RÉALISATION : IGS-CP À L'ISLE-D'ESPAGNAC
IMPRESSION : CPI FRANCE
DÉPÔT LÉGAL : AOÛT 2017. N° 136215 (141259)
Imprimé en France